LO QUE NE

LA GUERRA ESPIRITUAL

EN 12 LECCIONES

LO QUE NECESITA SABER SOBRE

LA GUERRA ESPIRITUAL

EN 12 LECCIONES

MAX ANDERS

CARIBE

Un Sello de Editorial Caribe

Una división de Thomas Nelson, Inc.
Nashville, TN—Miami, FL
Www.editorialcaribe.com
Email: editorial@editorialcaribe.com

Título del original en inglés:
What You Need To Know About Spiritual Warfare In 12 Lessons

Publicado por Thomas Nelson, Inc.

Traductor: Eugenio Orellana

ISBN: 0-89922-524-1

Impreso en EE.UU.
Printed in U.S.A.

CONTENIDO

Introducción a la serie

Lo que necesitas saber

Tienes en tus manos una herramienta de un tremendo potencial: la capacidad de afirmarte tú y toda una nueva generación de otros creyentes en los fundamentos de la fe cristiana.

Yo creo que los tiempos exigen esta herramienta. En la Iglesia de hoy enfrentamos la seria crisis de una generación de cristianos que conocen la verdad mas no la viven. Pero todavía tenemos por delante un desafío aun mayor; la llegada de una generación de cristianos que ni siquiera conoce la verdad.

Muchos líderes cristianos están de acuerdo con que hoy, la iglesia evangélica necesita urgentemente un recurso adecuado que permita ser usado por una amplia variedad de iglesias para que la actual y las futuras generaciones de cristianos se fundamenten en la Escritura y en el cristianismo histórico.

Esta guía, y toda la serie *Lo que necesitas saber* puede usarse por individuos tanto como por grupos.

A continuación hay cinco razones más por las que creemos que disfrutarás al usar esta guía:

1. Fácil de leer

No necesitas meterte en un lenguaje técnico complicado para tratar de tropezar con las verdades que andas buscando. Esta serie pone a la vista las verdades bíblicas. La hemos escrito con un estilo apasionado y amistoso, matizándolo con un poco de humor por aquí y por allá. Te parecerá diferente a todo cuanto hayas leído hasta ahora.

2. Fácil de enseñar

Tú no tienes tiempo para pasar diez horas preparando las lecciones de la Escuela Dominical, grupos pequeños de estudio o de discipulado. Por el otro lado, tampoco quieres ofrecer un material que ofenda el intelecto de los miembros de tu grupo. En estas páginas hay verdadero alimento, pero está presentado en una manera fácil de enseñar. Sigue un formato de preguntas y respuestas que puede ser usado para cubrir el material, junto con preguntas para discutir al final de cada capítulo que facilitan la interacción del grupo.

3. Es absolutamente bíblico

Tú crees en la Biblia, y no querrás usar algo que no sea absolutamente bíblico. Esta serie ha sido escrita y revisada por un equipo de personas de excelente educación, que son cristianos comprometidos personalmente, que tienen en muy alta estima las Escrituras y que han examinado con sumo cuidado las enseñanzas bíblicas. Si en algún asunto la Biblia no es ambigüa, como por ejemplo la resurrección de Cristo, entonces el tema es presentado en forma absolutamente inequívoca.

4. Presenta con respeto las diferentes posiciones evangélicas

No querrás que nadie te obligue a llegar a conclusiones que no te parecen. En la Biblia hay muchos asuntos sobre los cuales hay más que una posición digna de considerarse. Cuando tal es el caso, presentamos las diferentes posiciones con respeto, exactitud y equidad. A decir verdad, para mayor seguridad, un equipo de evaluación de diversas perspectivas evangélicas ha revisado cada uno de los volúmenes de esta serie.

5. Te permite conservar tus convicciones y diferencias sobre un tema

Es posible que tú tengas convicciones sobre algo que quieres comunicar a las personas a las que estás ministrando. Estos libros te dan esa flexibilidad. Después de presentar las diversas posiciones válidas que pudieren existir sobre el tema en cuestión, te va a parecer fácil identificar y ampliar tu punto de vista, o la posición de tu iglesia.

Ponemos en tus manos esta guía de estudio con la oración que Dios pueda usarla para fortalecer su iglesia para su trabajo en estos días.

Cómo enseñar este libro

Los libros de esta serie son escritos para usarse en un currículo de trece semanas, ideales para clases de Escuela Dominical u otros grupos pequeños. Te vas a dar cuenta que hay solo doce capítulos, lo que permite que se pueda hacer alguna cosa más que se desee en la sesión extra. Cada trimestre pareciera ser el apropiado para a lo menos un tipo diferente de sesión debido a los festivos, vacaciones de verano u otras ocasiones especiales. Si usas los doce capítulos y todavía te queda libre una sesión en cada trimestre, organiza una reunión de compañerismo con refrescos y usa el tiempo para conocer mejor a los demás. O usa la sesión para invitar a personas nuevas en la esperanza que continúen con el curso.

Los diez libros de la serie forman lo que se conoce como «Currículo de conocimiento básico» para cristianos. Naturalmente que los cristianos querrán saber más de lo que encontrarán en estos libros pero nunca menos. Por lo tanto, la serie es excelente para estudiosos, para nuevos cristianos y para cristianos que no tengan un sólido fundamento en materia de educación bíblica. También es una buena serie para quienes tengan una educación bíblica irregular.

Por supuesto, también estos libros pueden usarse en grupos pequeños y grupos de discipulado. Si estudias el libro por ti mismo, sencillamente puedes leer los capítulos y seguir avanzando a través del material hasta el final. Si estás usando el libro para enseñar a otros, te van a ayudar las siguientes pautas:

Bosquejo para la enseñanza

1. Empieza la sesión con oración.

2. Piensa en la posibilidad de hacer un pequeño examen al principio de cada reunión sobre el auto-test del capítulo que se va a estudiar ese día. El examen puede ser opcional, o quizás el grupo quiera que cada uno lo haga por su cuenta, dependiendo de la forma en que el material se ha impartido. En pequeños grupos o en trabajo individual quizás sea obligatorio. En clases numerosas de una Escuela Dominical puede ser mejor considerarlo como una opción.

3. Al comienzo de la sesión, recomendamos resumir el material. Quizás prefieras que los propios alumnos se preparen para esta actividad. Tal vez creas necesario incluir alguna información que no haya sido cubierta por este libro. Probablemente algunos en la clase no habrán leído el material, y esto les ayudará a ponerse al día con los que ya lo conocen. Incluso para quienes lo leyeron, un resumen les refrescará sus mentes y permitirá que todos se pongan al mismo nivel. Es posible que se originen preguntas y alguna forma de discusión.

4. Según lo que permita el tiempo, analiza el material al final de los capítulos. Usa lo que creas que ayudará mejor al grupo.

5. Ten un tiempo especial para preguntas y respuestas, o promueve preguntas durante el curso del estudio. Si te formulan alguna que no puedes contestar (nos ocurre a todos), sencillamente di que no sabes, pero que lo averiguarás. A la semana siguiente, puedes dar la oportunidad para preguntas y respuestas o para discusión sobre la respuesta a la pregunta de la semana anterior.

6. Cierra con una oración.

Quizás tengas algunas otras cosas que te gustaría incorporar. La flexibilidad es la clave para el éxito. Estas sugerencias se dan solo como guía. No son rígidas. Ora y elige el plan que se ajuste mejor a tus circunstancias.

¿En realidad quieres ver en acción el poder divino? Si es así, olvídate de tus nociones humanas de poder y fija tu atención a la forma en que Cristo vivió y murió.
■ **Edmund A. Steimle**

1

¿Qué es la guerra espiritual?

Por más de doscientos años, Benedict Arnold ha sido acusado y discutido como un estadounidense traidor. ¿Por qué? Porque durante la Guerra de Independencia intentó pasar un plano del fuerte en West Point sobre el río Hudson al enemigo inglés. Las generaciones futuras de estadounidenses jamás lo han perdonado y el nombre de Arnold ha entrado en el idioma inglés de Estados Unidos como un sinónimo de *traidor.*

¿Por qué Arnold pudo haber querido hacer semejante cosa?, se han preguntado numerosos estudiantes de historia. ¿Qué fuerza controló a uno de los más brillantes generales del ejército americano para actuar de esa manera? Bueno, permíteme contarte el otro lado de la historia. El reciente descubrimiento de cartas entre Arnold y Benjamín Franklin ha proyectado nueva luz sobre las razones detrás de su aparente acto de traición.

Desesperadas, las colonias americanas habían pedido a Francia que les ayudara en su lucha contra los ingleses. Los franceses, felices de complacerlos, enviaron tantas tropas a través del Atlántico que en un momento los soldados franceses superaban en número a las tropas americanas a las cuales estaban ayudando.

Al general Arnold le entraron serias sospechas sobre los motivos de los franceses. ¿Por qué los franceses estaban tan dispuestos a que se derramara tanta de su propia sangre en favor de los americanos? ¿Sería que estaban pensando en que los americanos derrotaran a los ingleses para luego convertir a Estados Unidos en una colonia de Francia? Arnold le escribió a Franklin que Estados Unidos parecía destinada a ser una colonia o de Inglaterra o de Francia. Si tal era el caso, Arnold prefería serlo de Inglaterra. Al seguir como una colonia inglesa, Estados Unidos sería gobernado con benevolencia y las trece colonias podrían llegar finalmente a obtener su libertad. Si por el contrario, se transformaban en una colonia de Francia, serían gobernados por tiranos y jamás podrían alcanzar la independencia. Por lo tanto, pensaba Arnold, las colonias americanas deberían buscar la paz con Inglaterra.

Franklin, que en ese tiempo era embajador ante Francia, estuvo de acuerdo con las opiniones de Arnold. No obstante, le dijo, «Yo creo en la soberanía de Dios, y creo que Él hará algo». Y se opuso a cualquier intento de paz con los ingleses.

Pero Benedict Arnold no estaba tan dispuesto en confiar demasiado en la soberanía de Dios. Hasta donde lo entendía, el camino para alcanzar el gran sueño de libertad era ayudar a los ingleses a triunfar. Por lo tanto, en un acto que pudo ser descrito como de profundo patriotismo, intentó hacer pasar el plano del puente de West Point a los ingleses. Cuando el plan falló, se unió a estos últimos no para conquistar las colonias, sino, como lo veía él, para derrotar a los franceses y expulsarlos de suelo americano.

En este capítulo aprendemos que:

1. Los tres frentes de batalla en nuestra guerra espiritual son el mundo, la carne y el diablo.
2. La fuente de nuestra fuerza en la guerra espiritual es solo Dios.
3. Nuestras armas de guerra son las partes de la armadura espiritual descrita en las Escrituras.
4. Satanás emplea dos medios efectivos para engañarnos: primero, nos impulsa a pecar; y luego, una vez que hemos pecado, nos mantiene sumidos en sentimientos de culpa.
5. Podemos derrotar a Satanás si nos damos cuenta que su único poder sobre nosotros es el engaño y el miedo y si le resistimos a la manera de Dios.
6. Las tres perspectivas fundamentales sobre la guerra espiritual son la perspectiva de la resistencia espiritual, la perspectiva del encuentro con la verdad, y la perspectiva del encuentro de poder.

Como lo muestra esta historia, guerra no es simplemente ejércitos en posiciones antagónicas, separados por una raya dibujada en la arena. Guerra es también diplomacia, espionaje, negociaciones, y maniobras detrás de la escena, lo cual a veces puede tener un mayor impacto sobre el desenlace que la lucha en el frente de batalla. Porque, después de todo, lo que realmente está en peligro es el poder.

Sea que sepan o no, los cristianos están envueltos en una batalla espiritual titánica, no contra las fuerzas de alguna nación terrenal sino contra las fuerzas de las tinieblas. Pero en gran parte, esta batalla no se ve ... es invisible. Hay cosas que ocurren detrás de la escena que no percibimos o no entendemos naturalmente. Pero estos actos y fuerzas invisibles a menudo determinan victorias o derrotas espirituales. Si queremos emerger espiritualmente victoriosos debemos entender la guerra espiritual.

En cualquiera guerra, lo que está en juego es el poder.

Esta guerra es entre lo bueno y lo malo, entre la justicia y el mal, entre la verdad y lo falso. Dios es la fuente de todo bien y con Él están los ángeles buenos y su pueblo. El iniciador del mal es Satanás y él está aliado con demonios y todos aquellos a quienes puede engañar para que sirvan a sus propósitos. El propósito de Dios es llenar toda la creación con su gloria. De modo que Él actúa para implantar la justicia, la bondad, la paz, el amor y el gozo y para que las gentes crean en Él y lleguen a ser ciudadanos del cielo aun mientras están en la tierra. El propósito de Satanás es dañar toda la creación y negar y oponerse hasta donde pueda a la gloria de Dios, de manera que implanta el pecado, el mal, el odio, la desesperación y trata de evitar que las gentes crean en Dios y lleguen a ser ciudadanos del cielo. La estrategia de Dios es iluminar y salvar. La estrategia de Satanás es engañar y destruir.

¿Cuáles son los tres frentes en la guerra espiritual?

Los tres frentes de batalla en nuestra guerra espiritual son el mundo, la carne, y el diablo.

La guerra espiritual se libra en nuestras vidas diarias en diferentes formas, a veces abiertamente pero a veces sutilmente. El resto del libro se refiere a estas formas. La Biblia muestra que este conflicto se desarrolla en tres frentes de batalla. Estos frentes son el mundo (1 Juan 2.15-17), la carne (Romanos 7.14-25) y el diablo (1 Pedro 5.8).

El «mundo» no se refiere al planeta material. Este mundo físico fue creado por Dios y cuando lo hubo creado, determinó que era bueno (Génesis 1). Sí, el pecado lo ha corrompido, pero será redimido y hecho nuevo (Romanos 8.19-22; Apocalipsis 21.1) para que de nuevo sea totalmente bueno. Ese es hoy día un resultado maravilloso de la salvación realizada por Dios. Pero «mundo» en su sentido negativo es el sistema mundano de valores. Es el actual orden malo y el arreglo de cosas que empezaron, no con la creación, sino con el deterioro por el pecado de lo bueno creado por Dios (Génesis 3).

El mundo es el frente de batalla *social*, donde los creyentes combaten contra el pecado y la maldad confrontándolos desde «afuera». Es un frente de poderes, valores, influencias y tentaciones externos. En esta batalla, la Biblia nos exhorta a estar en el mundo pero no ser del mundo y a resistir la presión de la sociedad no redimida que quiere forzarnos a entrar dentro de su molde (Romanos 12.1, 2). En 2 Corintios 10.4-5 el apóstol Pablo escribe sobre nuestros conflictos con el mundo. En este pasaje se refiere a las convicciones, hábitos, pensamientos y afectos mundanos que cultiva esta sociedad, la cultura y la humanidad en su totalidad. Estas actitudes son mundanas porque se oponen a Dios, niegan a Dios o tratan de existir sin Dios.

El propósito de Dios es llenar toda la creación con su gloria

Parte de la guerra que libramos contra el mundo caído en el cual vivimos es vencer a estas fuerzas en nuestras propias vidas tanto como ayudar a otros a que también las venzan. Tenemos que liberarnos de los elementos impíos del sistema de valores del mundo, y al mismo tiempo influenciar al mundo para la causa de Cristo (Mateo 5.14-16; 28.19-20).

La «carne» no quiere decir nuestra piel, tejido y huesos ni se refiere únicamente a los deseos sexuales. Esta es parte de la creación que Dios hizo buena. Pero, la «carne» se refiere a una tendencia inherente al pecado que cada ser humano ha heredado de Adán. Se refiere no solo a acciones (sexo, dinero y poder) sino también a actitudes (lujuria, codicia y toda clase de orgullo). La carne es el frente de batalla *personal*, donde los creyentes combaten al pecado y al mal «dentro» de ellos, un frente de poderes, valores, influencias y tentaciones internos.

El apóstol Pablo escribe de la carne en Romanos 7 donde dice, «Y yo sé que en mí, esto es, en mi carne, no mora el bien; porque el querer el bien está en mí, pero no el hacerlo. Porque no hago el bien que quiero, sino el mal que no quiero, eso hago. Y si hago lo que no quiero, ya no lo hago yo, sino el pecado que mora en mí».

Este pasaje describe una guerra civil espiritual que se libra dentro del corazón de cada cristiano. Gracias al nuevo nacimiento en Cristo, el cristiano quiere hacer lo bueno, pero la carne no ha sido redimida así es que sigue tirándonos hacia abajo hasta que Cristo vuelva o nosotros muramos (Romanos 8.23). Por eso tenemos que luchar contra esta tendencia, una forma de fuerza de gravedad dañina que dentro de nosotros nos fuerza para ir contra la voluntad de Dios. En esta batalla, la Biblia nos amonesta a no dejar que el pecado gobierne nuestros cuerpos físicos. En lugar de eso, tenemos que presentarnos activamente a Dios como instrumentos dispuestos a ser usados para su justicia (Romanos 6.11-14).

El «diablo» no es aquel hombrecillo vestido de rojo con pezuñas, cuernos y un tridente. Es un ángel caído sumamente poderoso, malo hasta la médula y opuesto absolutamente a Dios. El diablo nos remite a un campo de batalla *sobrenatural* donde los creyentes combaten a él y a otros seres sobrenaturales, a quienes la Biblia identifica como la fuente de toda maldad. Satanás y sus aliados usan el mundo y la carne para evitar que hagamos la voluntad de Dios.

Al pensar en esta gran guerra invisible en la cual el diablo y sus huestes nos tienen metidos, debemos concentrarnos en dos realidades. Primero, tenemos que estar alerta contra las intenciones malas del enemigo y su estrategia para engañarnos y destruirnos. Segundo, debemos reconocer que es únicamente Dios quien puede hacernos victoriosos en esta gran guerra espiritual invisible. Sus recursos, su fuerza, su ministración es lo que impide que seamos destruidos en esta batalla. Debemos desarrollar la convicción y el hábito de volvernos a Él, a depender de Él y obedecerle de modo que Él pueda ganar la batalla por nosotros.

Reconozco que hablar de este modo es extraño en nuestro mundo tan tecnificado, donde los que mandan son los diminutos circuitos integrados de computadoras (chips), los discos compactos y los viajes espaciales. No tenemos costumbre de pensar en adversarios invisibles y en combates celestiales. Sin embargo, si no somos cuidadosos, vamos a ser engañados para que creamos que nuestra batalla es meramente contra personas y circunstancias. Y no nos daremos cuenta que todo eso es orquestado por una mente superior que se mueve entre bambalinas. La mente de maldad de las tinieblas es inteligente y poderosa. Y hace que el archivillano Darth Vader luzca como un niño de pecho. Si preferimos pensar que él no está ahí o si tratamos de enfrentarlo con nuestra propia inteligencia y fuerzas estamos condenados al fracaso.

¿Cuál es la fuente de nuestra fuerza?

La fuente de nuestra fuerza en la guerra espiritual es solo Dios.

Tú no puedes controlar una inundación con un lanzallamas. Ni puedes extinguir un incendio forestal con linternas. Ni puedes detener un huracán a balazos. *Y tampoco puedes pelear batallas espirituales con fuerzas naturales.* El poder natural no tiene ningún efecto sobre las cosas espirituales. Si solo dejáramos que esto entrara en nuestras cabezas, cambiaríamos la forma en que hacemos las cosas. En lugar de confiar en el trabajo duro, la creatividad, la astucia, la sagacidad y el dinero, descansaríamos en el poder de la oración, las Escrituras, la piedad, la unidad y la sensibilidad espiritual hacia el Señor.

Nuestro poder, nuestra fuerza son solo eso: nuestras. Natural. Insignificante ante la arremetida furiosa de Satanás y su ejército de demonios.

Por supuesto, debemos trabajar duro, ser creativos y astutos, y hacer uso de sagacidad y dinero. Pero no debemos depender de estas cosas. Nuestra verdadera fuerza, nuestro poder efectivo no está dentro de nosotros. Se encuentra en el Señor.

Al principio, esto nos cuesta mucho aceptarlo. Posiblemente seamos fuertes físicamente y estemos acostumbrados a depender de nuestras fuerzas para lograr las metas que nos proponemos. O quizás seamos hábiles hombres de negocio, artistas de gran renombre o negociadores astutos y tengamos que depender de estos talentos para abrirnos paso en el mundo. Si es así, entonces resultará difícil poner estas habilidades al pie de la cruz, admitir que en la guerra espiritual aquello no sirve para nada y que por lo tanto, estamos desarmados, y tengamos que decir, «¡Señor, por favor, ayúdame!» Pero mientras llegamos a este punto, es posible que seamos completamente engañados, y estaremos completamente derrotados.

En la guerra espiritual...
Dios hace el trabajo de Dios.
El hombre hace el trabajo del hombre.
El hombre no puede hacer el trabajo de Dios,
Y Dios no hará el trabajo del hombre.

Las habiliades naturales son inútiles en esta guerra

El trabajo de Dios; es decir, la guerra espiritual, tiene que hacerse según la manera de Dios. El trabajo de los humanos es aprender a usar y a emplear las tácticas de Dios y confiar en Él —solo en Él— para la guerra espiritual.

Pero esto no se consigue fácilmente. Insistimos en tratar de hacer el trabajo de Dios mientras descuidamos el trabajo del hombre. Y cuando aparecen los problemas, nos preguntamos por qué las cosas no están saliendo como debieran.

¿Qué son las armas de guerra?

Nuestras armas de guerra son las partes de la armadura espiritual descrita en las Escrituras.

Cada vez que estemos en una batalla espiritual contra un enemigo invisible pero real, nuestras armas de guerra no pueden ser de plomo y acero. Tienen que ser armas espirituales. Y Efesios 6 describe una de estas armas: la armadura de Dios.

Por supuesto, *armadura* es una forma de decir, una metáfora para los recursos espirituales que Él provee para nuestra protección, poder y efectividad en la guerra espiritual contra las fuerzas de oscuridad. Estos recursos son la verdad, la justicia, el evangelio de la paz, la fe, la salvación y la Palabra de Dios. Estas son las armas espirituales para la gente buena.

Pero este pasaje también nos habla de las armas de la gente mala; es decir, «las asechanzas del diablo».

La palabra *asechanzas* en el griego es *methodeia,* de donde se deriva la palabra en español *método.* Esto implica astucia, marullería y engaño, todo lo cual describe las asechanzas de Satanás.

Tanto la palabra *Abaddon* para Satanás, como su nombre en griego *Apolión,* quieren decir «destructor» (Apocalipsis 9.11). También se le llama la «serpiente antigua, que se le conoce como diablo y Satanás, el cual engaña al mundo entero» (Apocalipsis 12.9). Satanás es un engañador y un destructor; *él engaña para destruir.*

En el principio, en el Huerto del Edén, Satanás engañó a Adán y Eva para que se rebelaran contra Dios. ¿Su propósito? Destruirlos. Miles de años más tarde, Satanás trató de engañar a Jesús para que dejara de hacer la voluntad de Dios (Mateo 4) ¿Su meta? Destruirlo y anular el plan de redención de Dios. Se presenta como «un ángel de Luz» para engañarnos y destruirnos (2 Corintios 11.14).

¿Cómo es que nos engaña Satanás? Apelando a «los deseos de la carne, los deseos de los ojos, y la vanagloria de la vida» (1 Juan 2.16), él hace:

que lo malo parezca bueno,
que lo falso parezca verdadero,
que lo torcido parezca derecho,
que lo feo parezca bonito,
que lo perjudicial parezca útil,
que lo doloroso parezca placentero.

En toda forma posible de confusión, connivencia y engaño, Satanás trata de extraviarnos con sus ardides. En Mateo 24.24 leemos «porque se levantarán falsos Cristos, y falsos profetas, y harán grandes señales y prodigios, de tal manera que engañarán, si fuere posible, aun a los escogidos». Así de grande son sus poderes de engaño y destrucción.

Se puede ver, entonces, que por nosotros mismos no podemos competir con las armas espirituales de Satanás. Necesitamos la armadura de Dios.

Satanás engaña creando deseos que nublan la verdad y erosionan nuestra lealtad a ella.

Los poderes de las tinieblas incluyen una jerarquía de seres espirituales del mal que hacen la voluntad de su señor, Satanás. Aunque es difícil para nosotros pensar en estos términos, tenemos que estar conscientes del mundo espiritual invisible que nos rodea: fuerzas de las tinieblas se trenzan en combate mortal con las fuerzas de luz. ¡La guerra espiritual es una realidad!

Si no nos preparamos para esta batalla espiritual es posible que seamos la próxima baja. «Sed sobrios, y velad», escribe Pedro. «Porque vuestro adversario el diablo, como león rugiente, anda alrededor buscando a quien devorar» (1 Pedro 5.8). Y Pablo nos advierte que Satanás se transforma en un ángel de Luz (2 Corintios 11.14). Jesús afirmó que Satanás es «el padre de mentira» (Juan 8.44). Puede hacer que el veneno sepa a miel. Es el campeón de los ilusionistas.

Cada día nos envolvemos en la guerra espiritual y no podemos vencer en nuestras fuerzas. Como soldados de la cruz necesitamos las fuerzas, el poder y la armadura del Señor.

¿Cuáles son los métodos de engaño de Satanás?

Satanás emplea dos formas particularmente efectivas para engañarnos: primero, nos hace pecar; y luego, una vez que hemos pecado, nos mantiene sumidos en un sentimiento de culpa.

Para hacernos pecar, el señor del engaño:

nos convence que «después de todo no es tan malo. Que no nos va a hacer daño»,

nos asegura que nadie se percatará y que de todos modos, Dios nos va a perdonar,

nos persuade que lo que nos está tentando para que hagamos en realidad nos va a satisfacer,

debilita nuestras convicciones espirituales hasta el punto que las descuidamos,

nos agota y nos extenúa, al punto que lo único que queremos es alivio inmediato y estaremos dispuestos a hacer cualquier cosa para conseguir ese alivio, y

distorsiona nuestro pensamiento al punto que no podemos discernir ya más entre lo recto y lo errado.

Los conflictos espirituales toman dos formas: tentación y oposición espiritual. Cuando somos tentados a pecar, debemos huir (2 Timoteo 2.22). Cuando somos confrontados con oposición espiritual, tenemos que pelear (Santiago 4.7).

La mayoría de nosotros, sin embargo, tenemos una tremenda habilidad para confundir estas dos formas. Cuando en nuestras vidas y ministerios sentimos oposición espiritual, queremos huir. Y cuando somos tentados a pecar, estamos dispuestos a pelear. Esto es contrario a la Palabra, y mientras no hagamos las cosas correctamente vamos a tener muy poco éxito.

¿Quieres salir arrancando de tus obligaciones financieras?
Enfréntalas y pelea.

¿Es demasiado difícil mejorar las relaciones familiares?
Enfréntalas y pelea.

¿Estás cansado de tratar de crecer espiritualmente?
Enfréntalo y pelea.

¿Es duro ser moral, ético y honesto en el lugar de trabajo?
Enfréntalo y pelea.

¿Te sientes tentado a juguetear con una relación que no es Cristocéntrica?
Huye.

¿Te sientes tentado a comprar algo que está fuera de tu alcance?

Huye.

¿Te sientes tentado a mirar aquel programa de televisión que no te conviene?

Huye.

¿Te sientes tentado a emprender un negocio que no es totalmente honesto?

Huye.

Por qué necesito saber de la guerra espiritual

Si la guerra espiritual es una realidad, y si no sé nada sobre ella ni estoy preparado, ofrezco todas las posibilidades de llegar a ser una baja. No entenderé todas las cosas que me ocurren, y seré de muy poco valor para otros que están experimentando la guerra espiritual.

Una de las claves para ganar la guerra espiritual es «saber cuándo luchar y cuándo replegarnos». Necesitamos pelear cuando peleemos, y huir cuando huyamos, y no confundir ambas cosas.

Engañarnos, sin embargo, no es suficiente para este señor de la muerte y de las tinieblas; porque una vez que hemos pecado, nos agarra de la parte de atrás de la cabeza y nos sume en el barro de la culpa hasta que nos sofoca. Al enlodar a los cristianos en su culpa, Satanás no los deja disfrutar del gozo de Cristo y los neutraliza como una fuerza efectiva para guiar a otros a la salvación. Al hacer esto, Satanás está acusando constantemente a los cristianos de sus pecados, intentando convencerlos que no tiene sentido continuar con la farsa de vida cristiana que llevan. Por supuesto, todo esto lo hace en primera persona, así nosotros llegamos a creer que estamos hablando con nosotros mismos fuera de nuestra propia conciencia culpable.

¡Qué clase de fracasado soy! nos lamentamos. *¡Qué repugnante pedazo de humanidad! ¡Qué farsante! ¡Qué despreciable excusa para un cristiano! ¿Quién soy, realmente? Debí de haber entendido desde un principio que jamás podría llegar a ser un ser moral. Fui un*

necio al intentarlo. La vida cristiana puede funcionar para otros, pero no para mí. Yo soy intrínsecamente un fracasado. Tengo que rendirme. Dejar de fingir. ¡Volver a la vieja vida a la que pertenezco y de la cual nunca debí de haber salido!

Si creemos esto al padre de mentiras, él nos tendrá justo allí donde nos quiere tener: en derrota, en inefectividad y convencidos que nuestro nombre produce un olor pestilente a las narices de Dios.

¿Cómo podemos conseguir el poder para vencer?

Podemos vencer a Satanás dándonos cuenta que su poder sobre nosotros no es más que engaño y temor, y resistiéndole según la forma de Dios.

Cuando yo era un niño, vi en la televisión una película del oeste en la cual un buhonero viajaba de pueblo en pueblo con una gran serpiente de cascabel metida en una caja de cristal. El hombre cubría la caja con un paño y la llevaba a la *taberna*. Allí le decía a la gente lo que había en la caja cubierta por el paño y que estaba dispuesto a apostar a que el hombre más rudo, el más valiente del pueblo no era capaz de poner su mano sobre la caja sin retirarla cuando la serpiente lo atacara.

La gente del pueblo estaba muy entusiasmada. Luego de escoger a quien creían que era el hombre más rudo y más valiente estaban listos para apostar. Por supuesto, después que el hombre había sido escogido como el más rudo y valiente, le era imposible acobardarse ante el desafío. Así es que entraba al *saloon* con paso resuelto, donde toda la gente apostaba a que podría mantener la mano contra la caja de cristal sin retirarla cuando la serpiente atacara.

Después que todas las apuestas estaban cruzadas, el buhonero retiraba el paño que estaba sobre la caja de cristal para dejar al descubierto el reptil de ojos malévolos más grande y amenazador que haya visto el hombre. Irritada por la luz y el ruido, la serpiente se enrollaba para atacar mientras el cascabel campaneaba nervioso.

El hombre, el más rudo y valiente del pueblo, empezaba a sudar helado. Pero aguijoneado por la expectación colectiva de sus camaradas del pueblo, extendía su mano para posarla sobre la caja de cristal.

La serpiente se enrollaba aun más, mientras el sonido del cascabel parecía más letal en su advertencia.

Lentamente, el hombre acercaba su mano hacia la caja de cristal y finalmente la tocaba. En ese momento, la serpiente atacaba con furia. Y en esa misma milésima de segundo, el más rudo y bravo del pueblo retiraba la mano.

Un silencio pasmoso caía sobre el *saloon.* Nadie podía creer lo que había pasado.

El hombre miraba a todos lados en una actitud de angustia y humillación, y luego salía del *saloon*. El buhonero, feliz, recogía el dinero que había ganado en la apuesta y se iba al pueblo vecino a repetir el acto y, una y otra vez, ganar las apuestas. Casi siempre ganaba.

¿Por qué? Porque sin importar lo grande, valiente y rudo que el hombre fuera, la vista de aquel reptil lanzándose contra el cristal invisible era algo aterrorizante. La única cosa entre ellos y una muerte segura era una delgada lámina de vidrio. El buhonero sabía que resistiría; el hombre del pueblo no confiaba en ella. El buhonero sabía que no había nada que temer, excepto al miedo mismo, y apostaba contra ese temor para ganarse la vida.

Satanás apuesta contra nuestros temores.

A menudo he pensado en la tremenda metáfora que es esta historia para ilustrar la guerra espiritual. La serpiente es Satanás y las fuerzas del mal. El cristal es Jesús. Para los que están en el lado seguro del cristal, para los que viven una vida de fe y de obediencia a Cristo, no hay nada que temer. Los únicos que son aterrorizados por el mal dentro de la caja son los que no confían en que el cristal puede darles seguridad, o los que deslizan la mano dentro de la caja de cristal.

Respecto de la guerra espiritual, hay dos cosas importantes que necesitamos entender: primero, hay un peligro real en el lado equivocado del cristal; y segundo, en el lado correcto del cristal estamos seguros a pesar de lo terrible que las cosas pudieran parecer.

¿Pero qué quiere decir eso? Hablando en términos generales, quiere decir que debemos someternos a Dios en todas las cosas y resistir al diablo (Santiago 4.7). Y hablando en términos específicos, eso quiere decir que debemos meternos dentro de la armadura espiritual que Él ha provisto para nosotros. Necesitamos:

- *el cinto de la verdad*, por el cual podemos saber, entender, creer y obedecer la verdad de Dios como está revelada en la Biblia y en Jesús.
- *la coraza de justicia*, lo que nos permite no estar satisfechos con reconocer el pecado en nuestras vidas. Debemos confesar cualquier pecado y, hasta donde nuestra madurez espiritual lo permita, vivir un estilo de vida piadoso.
- *el calzado del apresto del evangelio de la paz*, para que podamos descansar en la verdad de las promesas que Dios nos ha dado.
- *el escudo de la fe*, para rechazar los ataques de duda, incredulidad, desaliento y tentación.
- *el yelmo de la salvación*, en el cual descansa nuestra esperanza en el futuro y el que nos capacita para vivir en este mundo según el sistema de valores del venidero.
- *la espada del Espíritu*, que es la Palabra de Dios, de modo que podamos usar las Escrituras específicamente en las situaciones de la vida para defendernos de los ataques del enemigo y hacerlo huir.

Dios no quiere que pequemos, y cuando pecamos, Él no toma nuestro pecado en forma liviana. Pero es también paciente, amoroso y misericordioso. No importa lo que hayamos hecho, no tenemos que tener miedo de ir ante su presencia. La gracia de Dios es suficiente para todos nuestros pecados.

A menudo nos da miedo enseñar esto porque creemos que las personas van a abusar y van a salir a pecar como locos. Sin embargo, cuando estas mismas personas entienden verdaderamente el amor de Dios, cuando entienden que su relación con Él depende no de su propia habilidad para limpiarse sino en su gracia, la de Dios, el resultado es totalmente lo opuesto.

Caemos sobre nuestras rodillas en gratitud a Dios porque a pesar de nuestras deficiencias, Él no nos abandona. Y esta profunda gratitud y comprensión de la gracia de Dios produce un deseo creciente de ser santo.

El secreto para detener las acusaciones de Satanás no es lo que nosotros hagamos sino lo que Cristo hizo en la cruz. Si en verdad entendemos eso, entonces una vez que hayamos seguido las instrucciones de Jesús sobre la guerra espiritual, podremos descansar en Él y hacer frente a cualquier acusación del enemigo.

John White escribió en su libro *The Fight* [La lucha]:

> La respuesta de Dios a tu conciencia culpable es la muerte de su Hijo. Tu respuesta a una conciencia culpable es por lo general algo que tú haces, como confesar, orar más, leer tu Biblia, dar más del diezmo en la ofrenda y así por el estilo. ¿Entiendes? El Padre no se va a complacer porque te hayas esforzado, porque hayas hecho una confesión completa o porque hayas hecho algún progreso espiritual. Él no se va a complacer porque tengas algo de lo cual te sientas orgulloso. Él se va a complacer en que su Hijo murió por ti. ¿Eres tan blasfemo como para suponer que tus obras muertas, tus pobres esfuerzos pueden añadir algo a la obra consumada de un Salvador moribundo? «¡Consumado es!», clamó Él. Completado. Hecho. Terminado para siempre. Derribó las puertas del infierno, dio libertad a los presos, abolió la muerte y de la tumba irrumpió a nueva vida. Todo quedó hecho para que fueras libre. El camino quedó abierto para que corrieras a refugiarte en los brazos amorosos de Dios.

¿Entiendes ahora cómo «los hermanos» derrotaron al Acusador por la sangre del Cordero? Rehusaron permitir que las acusaciones impidieran su acceso a Dios. Fue suficiente una sencilla confesión. Valientemente enfrentaron al Acusador, y dijeron, «Ya sabemos lo peor que pudiste habernos dicho, y Dios también lo sabe. Pero la sangre de Jesucristo es suficiente». Por lo tanto, cuando veas que una nube gris desciende sobre ti, sea que estés orando, trabajando, testificando o cualquiera otra cosa, cuando sientas que el anillo de seguridad que te rodea tiende a debilitarse debido a un vago sentimiento de culpa, mira a Dios y dile, «Gracias, Padre, por la sangre de tu Hijo. Gracias porque me aceptas gustosa y amorosamente a pesar de todo lo que soy y he hecho, porque por su muerte, Padre y Dios, vengo a ti» (87-89).

Resiste a los esfuerzos de Satanás de acusarte, de sumergirte en un sentimiento de culpa, de hacer que te sientas miserable y descalificado para venir a Cristo de nuevo. Parte de su estrategia de guerra es hacerte inefectivo como testigo y desdichado como discípulo. Ponte en guardia contra sus engaños. Identifícalos y en la fuerza que Dios da, mantente firme contra él.

¿Cuáles son las tres principales perspectivas de la guerra espiritual?

Las tres principales perspectivas de la guerra espiritual son la perspectiva de la resistencia espiritual, la perspectiva del encuentro con la verdad y la perspectiva del encuentro de poder.

Entre quienes aceptan la guerra espiritual como una realidad presente para los cristianos, todos están de acuerdo en lo notablemente extensos de los frentes del mundo y la carne. Pero en cuanto a cómo los cristianos de hoy deben pelear contra el diablo y sus obras, ese entendimiento da origen a tres perspectivas básicas. Primero, están los que creen que la guerra de los creyentes contra el diablo hoy día requiere solo de resistencia espiritual; segundo, están los que creen que la guerra debe ir más allá de la resistencia hasta un encuentro aseverativo con la verdad; y tercero, están los que creen que con la resistencia y el encuentro con la verdad, también a veces es necesaria alguna forma dramática de encuentro de poder.

No es posible que hagamos en este libro un análisis detallado de cada una de las tres posiciones, pero dentro del poco espacio de que disponemos vamos a mirar un poco más de cerca estas tres perspectivas. Para hacer el asunto más sencillo, para cada una de las tres perspectivas voy a mencionar un número y un libro como representativos de cada perspectiva.

Perspectiva de la resistencia espiritual

Los que sostienen la posición de la resistencia espiritual se basan para guía en todas las áreas de la vida cristiana, incluyendo cómo los creyentes deben enfrentar la guerra espiritual, en los libros del Nuevo Testamento que están después de los cuatro Evangelios y Hechos; es decir, las Epístolas. Debido a que no ven ejemplos de posesión demoníaca o de creyentes siguiendo con la práctica de Jesús y de los discípulos de echar fuera demonios, dudan o de plano niegan que tal posesión o exorcismo —el acto de echar fuera demonios— todavía ocurra.

Las Epístolas, no obstante, en tres importantes pasajes muestran cómo los creyentes pelean la guerra espiritual: resistiendo o manteniéndose firmes contra Satanás y los demonios:

- *Efesios 6.11:* «Vestíos de toda la armadura de Dios, para que podáis estar firmes contra las asechanzas del diablo».
- *Santiago 4.7*: «Someteos, pues, a Dios; resistid al diablo, y huirá de vosotros».
- *1 Pedro 5.8-9:* «Sed sobrios, y velad; porque vuestro adversario el diablo, como león rugiente, anda alrededor buscando a quien devorar; al cual resistid firmes en la fe».

Según este punto de vista, en la salvación se nos dio todo cuanto necesitábamos para derrotar a nuestros enemigos espirituales de maldad. No tenemos que echar fuera demonios de otras personas, ni hablar de demonios, ni hacer nada que se parezca a un exorcismo. En lugar de eso, tenemos que creer la verdad y vivir en santidad. Así podremos hacer lo que en las Epístolas es claro: ponernos nuestra armadura y estar firmes: en una palabra, *resistir*. Si resistimos al diablo, él huirá de nosotros. Cualquiera otra cosa oscurecerá innecesariamente el asunto y hará que el problema de la influencia demoníaca se maneje en una forma antibíblica.

Mientras quizás no acepte esta explicación sin reserva o clarificación, un proponente importante de este punto de vista general es John MacArthur, y su principal enseñanza sobre este tema la encontramos en su libro *How to Meet the Enemy* [Cómo enfrentar al enemigo]. Él cree que en el «enuentro con la verdad» y en el «Encuentro con el Poder» las personas corren el riesgo de confiar en «técnicas» en lugar de en carácter.

La objeción de MacArthur al hablar de demonios, atarlos y expulsarlos es vigorosa. Argumenta que la autoridad que Cristo dio a sus discípulos sobre los demonios fue un recurso para ellos solos porque eran sus representantes especiales (1 Tesalonicenses 2.6; 2 Corintios 3.10). Ellos fueron privilegiados con este recurso sobrenatural de modo que los que los oyeran pudieran darse cuenta que hablaban en representación de Dios (2 Corintios 12.12; Hebreos 2.3-4).

> Hoy día nadie tiene autoridad sobre los demonios y las enfermedades como la tuvieron los apóstoles. De hecho, 2 Pedro 2.10-11 y Judas 8-10 implican que en la «escala de autoridad» los creyentes están bajo los espíritus demoníacos y necesitan implorar al Señor cuando tengan que contender con ellos.
>
> Por consiguiente, «tomar autoridad» sobre los espíritus demoníacos o circunstancias negativas no es un concepto bíblico. Nuestro método de enfrentar a Satanás es resistirlo, firme en nuestra fe (Santiago 4.7, 1 Pedro 5.8-9).

Punto de vista del encuentro con la verdad

«Encuentro con la verdad» es la etiqueta dada a su propio punto de vista por Neil Anderson, hoy por hoy uno de los más populares escritores sobre la guerra espiritual. Anderson cree que la autoridad que Jesús dio a sus seguidores según Lucas 9 y 10 también nos es dada a nosotros, contrario al punto de vista de MacArthur. Anderson argumenta que solo porque las Epístolas no repiten la verdadera dirección que el Señor dio a sus discípulos en los Evangelios no significa que aquella autoridad se haya rescindido. Él cree que, en efecto, las Epístolas en realidad extienden hasta nosotros la autoridad de Cristo sobre los demonios porque nosotros estamos en Cristo, habiendo resucitado con Él, y ya estamos sentados con Él en los lugares celestiales (Efesios 2.4-7). Toda vez que Cristo sigue teniendo autoridad sobre los demonios, nosotros que estamos en Él y resucitamos con Él y estamos sentados con Él también tenemos su autoridad ahora.

Seguramente Anderson estaría de acuerdo con el énfasis de MacArthur sobre la madurez del carácter cristiano y la necesidad de «resistir» a Satanás. Sin embargo, él cree que resistir al diablo incluye ejercer autoridad sobre los demonios. Anderson también cree que los demonios pueden sujetarse e influir a algunos creyentes en diversos grados, hasta el punto de que un creyente sea habitado por uno o más demonios. Se refiere a esta condición como demonización. (Anderson y otros hacen una clara distinción entre demonización por un lado, y posesión demoníaca, por el otro. En el siguiente capítulo analizaremos esta distinción.)

En *The Bondage Breaker* [El destructor de ataduras], Anderson cuenta la historia de una jovencita y su amigo que acudieron a él en busca de ayuda profesional. Parecía evidente la presencia demoníaca en ellos, de modo que Anderson empezó a guiarlos en la lectura de una oración que había escrito. En ese momento, la muchacha lanzó un alarido amenazador, luego arremetió contra el joven y le arrebató el papel de las manos. Anderson habló al demonio, diciéndole: «En el nombre de Cristo y por su autoridad, te ato a esa silla y te ordeno que te sientes ahí».

Luego Neil oró, después de lo cual la muchacha, de nombre Janelle, salió de su estupor. No recordaba nada de lo que había ocurrido. Anderson la ayudó a dar los pasos que aparecen en su libro *The Bondage Breaker* [El destructor de ataduras], para alcanzar la libertad. Una vez que ella hubo renunciado a involucrarse con el pecado y Satanás, su control sobre ella quedó cancelado (159-161).

Aunque Anderson toma autoridad sobre los demonios de esta manera, él sin embargo no trata de echar fuera demonios de otras personas.

> Por años no he tratado de «echar fuera un demonio». Pero he visto a cientos de personas liberarse en Cristo al ayudarles a resolver sus conflictos personales y espirituales. Ya no enfrento a los demonios en una forma directa y les prohibo que se manifiesten. Yo solo trabajo con sus víctimas. Como ayudadores, nuestro éxito depende de la cooperación de las personas a quienes ayudamos. A los que queremos ayudar les decimos, con Jesús, «Conforme a vuestra fe os sea hecho» (Mateo 9.29). Ayudar a las personas a entender la verdad y a asumir una responsabilidad personal por la verdad en sus vidas es la esencia del ministerio (*The Bondage Breaker,* [El destructor de ataduras] 208).

La esencia del encuentro con la Verdad es traer a las personas a un encuentro personal con la Verdad y animarlos a responder a la Verdad, con el resultado de que sean ayudadas.

Encuentro de poder

Los que sustentan esta tercera posición están de acuerdo con la resistencia espiritual y el encuentro con la Verdad hasta donde pueden. Con los que sostienen la resistencia espiritual creen que el carácter cristiano maduro es la clave para la libertad espiritual; y creen que las personas necesitan encontrarse con la Verdad para experimentar la libertad. Sin embargo, van más allá de estas posiciones hasta decir que algunos creyentes demonizados no pueden ser liberados sin la ayuda de otros. Por lo tanto, ellos no solo atan demonios sino que también los echan fuera.

Basan su práctica en el modelo establecido por Jesús y sus discípulos, creyendo que ese modelo todavía es aplicable en el día de hoy. Rechazan el punto de vista de la resistencia espiritual que dice que los cristianos no pueden ser habitados por un demonio (*no* confundir con estar *poseído* por un demonio). Y rechazan el punto de vista de encuentro con la Verdad de que nunca es necesario echar fuera los demonios. Una analogía que a menudo se da es que las personas físicamente débiles y enfermas no pueden recuperar plenamente su salud solas. Necesitan que alguien les ayude y que los cuiden hasta que se recuperen lo suficiente como para que puedan valerse por ellos mismos. Según su entendimiento, lo mismo sería verdad en el plano espiritual.

Mark Bubeck en su libro *The Adversary: The Christian Versus Demon Activity* [El adversario: el cristiano versus la actividad demoníaca] describe un encuentro de poder entre un pastor y un demonio.

Pastor: «Afirmando toda mi autoridad sobre ti mediante mi unión con el Señor Jesucristo, te ordeno que reveles cómo fue que pudiste tomar el control de la vida de esta persona. Opongo a ti la sangre de Cristo y te ordeno que me lo digas».

Demonio: «Ella tiene miedo. Nosotros la hicimos miedosa. Está llena de miedo».

Pastor: «¿Es esa la razón que tienes contra esta hija de Dios? ¿Quieres decir que puedes atormentarla y tratar de destruir su vida solo porque tiene miedo?»

Demonio: «Sí, ella está todo el tiempo llena de miedo, y nosotros podemos trabajar a través de su miedo».

Esta conversación la reproduzco con el máximo de fidelidad que puedo recordar de memoria y por las notas que tomé durante una agresiva confrontación contra los poderes de oscuridad que atormentaban la vida de aquella creyente.

Bubeck cree que es válido el ministerio de echar fuera demonios de la gente, sean o no cristianos. Ed Murphy, autor del interesante manual *The Handbook for Spiritual Warfare* (Manual de la guerra espiritual) está de acuerdo en que a veces es necesario exorcizar a los demonios por parte de otras personas. Él no va tras los encuentros de poder, pero sí cree que en el curso de ministrar a las personas, a veces las situaciones hacen necesario un encuentro de poder, llegando incluso al exorcismo de un demonio y su influencia.

Conclusión

El punto de vista de la resistencia espiritual rechaza hablar a los demonios, atarlos y expulsarlos porque Cristo dio tal autoridad sobre los demonios solo a sus representantes especiales, los primeros discípulos y los apóstoles (1 Tesalonicenses 2.6ss; 2 Corintios 13.10). Ellos fueron privilegiados con este recurso sobrenatural de modo que quienes los oyeran podrían darse cuenta que hablaban en representación de Dios (2 Corintios 12.12; Hebreos 2.3-4). Además, este punto de vista niega que un cristiano pueda ser habitado por un demonio porque, como escribe MacArthur, «la presencia de un demonio evidencia la ausencia de una salvación genuina»(82).

Los que sustentan las perspectivas de encuentro con la Verdad y encuentro de poder sin duda que respetan la preocupación de MacArthur sobre si las personas que son demonizadas son verdaderos cristianos o no. No obstante, su experiencia sugiere que cristianos han sido demonizados hasta el punto de ser habitados por demonios. Además, ellos no considerarían el hecho de que las Epístolas no describen un ministerio activo hacia las personas demonizadas para contarla como evidencia decisiva contra tal ministerio. Pero estos dos encuentros difieren respecto a cómo, exactamente, debe realizarse tal ministerio.

Tenemos entonces una sincera diferencia de perspectiva entre cristianos espiritualmente maduros, inteligentes, cuidadosos y bien intencionados. Como en otras áreas de diferencia entre creyentes, como la soberanía de Dios y humanos libres de agentes morales o sobre las profecías relacionadas con los últimos tiempos, parecen ser posiciones responsables que se oponen intrínsecamente y no es posible resolver las diferencias, incluso entre los cristianos eruditos más serios.

Esta situación no quiere decir que todos tengan la razón, porque tal cosa no puede ser. Pero no será sino hasta que lleguemos al cielo que sabremos cuál es toda la verdad. Quizás mientras nos esforzamos por encontrar un punto de entendimiento común en un espíritu de paz, vamos a encontrar más situaciones de entendimiento que lo que creíamos y podremos usar esta circunstancia para alentar una mayor unidad y que nos comprometamos más en la causa que es común a todos. Aunque podamos tener profundos desacuerdos en estos asuntos, discrepamos como hermanos, y debemos manejar estas discrepancias en amor, «solícitos en guardar la unidad del Espíritu en el vínculo de la paz» (Efesios 4.3).

¡Topes de velocidad!

Disminuye la velocidad para estar seguro que has captado los puntos más importantes de este capítulo.

Pregunta Respuesta

P1. ¿Cuáles son los tres frentes de batalla en la guerra espiritual?

R1. Los tres frentes de batalla en nuestra guerra espiritual son el mundo, la carne y el *diablo*.

P2. ¿Cuál es la fuente de nuestra fuerza?

R2. La fuente de nuestra fuerza en la guerra espiritual es solo *Dios*.

P3. ¿Cuáles son las armas de guerra?

R3. Nuestras armas de guerra son las partes de la *armadura* espiritual descrita en las Escrituras.

P4. ¿Cuáles son los métodos de engaño de Satanás?

R4. Satanás emplea dos medios particularmente efectivos para engañarnos: primero, nos hace pecar; y luego, una vez que hemos pecado, nos mantiene sumidos en sentimientos de *culpa*.

P5. ¿Cómo podemos obtener el poder para vencer?

R5. Podemos vencer a Satanás dándonos cuenta que su único poder sobre nosotros es el engaño y el miedo y *resistiéndolo* en la manera de Dios.

P6. ¿Cuáles son las tres perspectivas principales en la guerra espiritual?

R6. Las tres perspectivas principales en la guerra espiritual son la perspectiva de la *resistencia* espiritual, la perspectiva del encuentro con la *Verdad* y la perspectiva del Encuentro de *Poder*.

Llena los espacios en blanco

Pregunta Respuesta

P1. ¿Cuáles son los tres frentes de batalla en la guerra espiritual?

R1. Los tres frentes de batalla en nuestra guerra espiritual son el mundo, la carne y el ______________

P2. ¿Cuál es la fuente de nuestra fuerza?

R2. La fuente de nuestra fuerzas en la guerra espiritual es solo __________.

P3. ¿Cuáles son las armas de guerra?

R3. Nuestras armas de guerra son las partes de la ____________ espiritual descrita en las Escrituras.

P4. ¿Cuáles son los métodos de engaño de Satanás?

R4. Satanás emplea dos medios particularmente efectivos para engañarnos: primero, nos hace pecar; y luego, una vez que hemos pecado, nos mantiene sumidos en ____________.

P5. ¿Cómo podemos obtener el poder para vencer?

R5. Podemos vencer a Satanás dándonos cuenta que su único poder sobre nosotros es el engaño y el miedo, y __________ en la manera de Dios.

P6. ¿Cuáles son las tres perspectivas principales en la guerra espiritual?

R6. Las tres perspectivas principales en la guerra espiritual son la ______________ espiritual, la perspectiva del encuentro con la ______________, y la perspectiva del encuentro de ____________.

Para un análisis más profundo

1. Reflexiona sobre las situaciones en tu experiencia cuando has peleado y cuando has huído, y vice-versa. ¿Qué lecciones has aprendido?
2. ¿En qué áreas de tu vida eres más susceptible de ser engañado por Satanás? ¿Qué puedes hacer para evitar ser engañado?
3. ¿En qué área de la vida estás más tentado a tratar de hacer el trabajo de Dios mientras ignoras el trabajo del hombre?

¿Y si yo no creyera?

1. Negaría la clara enseñanza de la Biblia que estamos en una guerra espiritual.
2. No querría interpretar ni entender bien muchas de las cosas que me ocurren y las que amo.
3. Sería completamente engañado por Satanás y neutralizado en mi andar espiritual.
4. Me sentiría muy frustrado y derrotado.
5. Es posible que sea engañado al punto de mi destrucción personal.

Para un estudio extra

1. Las Escrituras

Varios pasajes de las Escrituras hablan de la realidad de la guerra espiritual:

- Juan 8.44
- Efesios 6.11-18
- Santiago 4.7
- 1 Pedro 5.8

Lee estos pasajes y piensa cómo ellos pueden ayudar a tu comprensión de la guerra espiritual.

En las Escrituras, la visitación de un ángel es siempre atemorizante; tiene que empezar por decir «No temáis». [En las artes] el ángel de la victoria luce como si fuera a decir, «Ahí, ahí».
■ **C.S. Lewis**

2

¿Quiénes son las fuerzas ocultas en la guerra invisible?

En el libro *Where Angels Walk* [Donde andan los ángeles], Joan Anderson cuenta de una mujer que caminaba por una peligrosa sección de Nueva York cuando vio a un hombre holgazaneando en la acera, delante de ella. Pronunció una breve oración y se apresuró a pasarlo. Más tarde supo que poco después que ella hubo pasado otra mujer había sido atacada brutalmente allí.

Cuando la primera mujer fue al cuartel de policía, identificó en una formación al hombre que había visto en la acera. El resultó ser el que había asaltado a la otra mujer. Cuando un policía le preguntó por qué no había asaltado a la primera mujer, el hombre respondió, «¿Está loco? Cuando pasó a mi lado, la acompañaban uno a cada lado dos inmensos tipos».

En una forma similar, el reverendo John G. Paton, que fuera misionero en Vanuatu, ex Islas Nuevas Hébridas, contaba del cuidado protector de los ángeles. Una noche, nativos hostiles rodearon la sede de la misión intentando quemar a los Paton y así matarlos. John Paton y su esposa oraron durante toda esa noche de terror para que Dios los liberara. Cuando amaneció vieron con sorpresa que los atacantes se habían ido.

A menudo los ángeles protegen a los creyentes.

Un año después, el jefe de la tribu se convirtió a Cristo y Paton, recordando lo que había ocurrido preguntó al jefe por qué no habían consumado su plan de quemar la casa y matarlos.

Sorprendido, el jefe contestó con una pregunta: «¿Quiénes eran aquellos hombres que estaban con ustedes?».

«Allí no había ningún hombre», le contestó Paton, igualmente sorprendido. «Solo mi esposa y yo estábamos allí».

El jefe entonces le dijo que ellos habían visto a muchos hombres de pie haciendo guardia. Cientos de hombres vestidos con ropas brillantes y con espadas en sus manos. Parecían rodear la casa de la misión de modo que los nativos tuvieron miedo de atacar. Solo entonces Paton se dio cuenta que Dios había mandado sus ángeles para que los protegieran. (Billy Graham, *Agentes secretos de Dios,* pp. 16-17).

En este capítulo aprendemos que:

1. Los ángeles son espíritus que viven mayormente en el reino invisible y que hacen la voluntad de Dios.
2. Satanás, probablemente el ángel bueno de más alta jerarquía antes de rebelarse contra Dios, es ahora el enemigo que se opone a la voluntad de Dios.
3. Los demonios son probablemente los ángeles que pecaron al seguir a Satanás en su rebelión contra Dios. Ahora se oponen a la voluntad de Dios y hacen la voluntad de Satanás.

¿Cómo reaccionas cuando oyes historias como las del reverendo Paton? Están tan lejos de nuestra experiencia normal que muchos de nosotros nos sentimos tentados a mover nuestras cabezas en señal de incredulidad. O que Paton es un mentiroso. O que se está burlando. O que realmente ocurrió lo que dice que pasó. ¿Crees que esté mintiendo? En ninguna otra área de su vida ha mostrado tendencia a la burla. Si analizamos la historia sin prejuicio contra él, tendríamos que aceptar que lo que él dijo es verdad a menos que la evidencia demuestre lo contrario.

Bueno, entonces, ¿es cierto que los ángeles son reales? Si existen, ¿existen también Satanás y los demonios?

La Biblia dice algunas cosas definidas acerca de los ángeles, Satanás y los demonios, de modo que vamos a comenzar nuestro estudio en este punto.

¿Qué son los ángeles buenos?

Los ángeles son espíritus que viven mayormente en el reino invisible y que hacen la voluntad de Dios.

Tomadas de la Biblia, podemos hacer una serie de observaciones sobre los ángeles:

- Los ángeles fueron creados por Dios para hacer su voluntad (Salmos 148.2-5; Colosenses 1.16; Salmos 103.20-21).
- Son seres espirituales y por lo general invisibles (Hebreos 1.7, 13-14; Números 22.22-31).
- En ocasiones, sin embargo, ellos toman la forma de seres humanos; cuando así lo hacen, es posible que no logremos saber que son ángeles por el solo hecho de verlos (Génesis 19.1-5, Hebreos 13.2).
- Otras veces su apariencia nos hace entender de inmediato que son ángeles y no seres humanos (Lucas 2.8-15; Juan 20.12).
- No se casan y viven para siempre (Mateo 22.30; Lucas 20.36).
- Respecto de la condición actual de los seres humanos, los ángeles han sido creados a un nivel superior, pero en el cielo, los humanos estarán en un nivel superior que el de ellos (Hebreos 2.7; 1 Corintios 6.3).
- Tienen gran conocimiento y poder, aunque a veces esto es limitado (1 Pedro 1.12; Marcos 13.32; Salmos 103.20; Isaías 37.36).

Los ángeles cumplen las órdenes de Dios:

- Ellos pueden estar en la misma presencia de Dios (Mateo 18.10).
- Adoran continuamente a Dios (Apocalipsis 5.11-12; Isaías 6.3).
- Se preocupan de lo que les ocurre a los humanos y se gozan cuando uno acepta a Cristo (Lucas 15.10).

- Los cristianos parecen tener ángeles guardianes (Mateo 18.10; Hebreos 1.14).
- Hay un número incontable de ángeles (Apocalipsis 5.11).

También la Biblia nos permite saber muchas cosas acerca de lo que hacen los ángeles:

- Los ángeles hacen todo lo que Dios quiere que hagan (Salmos 103.20-21).
- Castigan a quienes se rebelan contra Dios (Hechos 12.23; 1 Crónicas 21.15).
- A menudo, los ángeles se preocupan, defienden y protegen al pueblo de Dios cuando Dios quiere que lo hagan (Daniel 6.22; 1 Reyes 19.5; Hechos 5.19; 12.8-11).
- Pueden guiar a los cristianos a testificar a ciertos incrédulos (Hechos 8.26).
- Vendrán con Cristo cuando Él regrese a la tierra (Mateo 25.31).
- Están organizados según una jerarquía de poder (Mateo 26.53; Colosenses 1.16; Daniel 10.13, 21; Judas 9).
- De alguna manera los ángeles están interesados y conectados con la Iglesia hoy día (1 Pedro 1.12; 1 Timoteo 5.21).
- Miguel, un ángel importante y poderoso, parece ser un ángel guerrero (Daniel 10.13, 21; Judas 9; Apocalipsis 12.7).
- Gabriel, un ángel igualmente importante y poderoso parece ser antes que nada un mensajero. Explicó una visión a Daniel en el Antiguo Testamento y anunció los dos grandes nacimientos del Nuevo Testamento, el de Juan el Bautista y el de Jesús (Daniel 8.16; Lucas 1.19, 26-33).

En mucho del arte popular, los ángeles tienen alas y a menudo aparecen con un aspecto femenino con cabello dorado y ojos azules. A veces aparecen como bebés regordetes. La Biblia no respalda esta imaginería. En la Biblia, los ángeles generalmente aparecen en forma humana. En Isaías 6 y Apocalipsis 4.5, los ángeles que sirven en el trono de Dios tienen tres pares de alas y no uno solo como generalmente se los pinta. Algunas personas creen que los humanos se transforman en ángeles cuando mueren y van al cielo. Por lo que ya hemos aprendido de los ángeles, esto no puede ser posible.

¿Quién es Satanás?

Satanás, probablemente el ángel bueno de más alta categoría antes que se rebelara contra Dios, es ahora el enemigo que se opone a la voluntad de Dios.

A lo largo de los años se ha considerado algo ridículo creer en Satanás. ¿Cómo una persona podría tomar en serio a un ser que anda por ahí vestido de rojo con una cola, pezuñas y cuernos? Esta pintura de Satanás carece totalmente de base bíblica, y la cantidad de personas que simpatizan con un ser malo literal llamado Satanás está aumentando meteóricamente. Al mismo tiempo, más y más gente se está involucrando en prácticas de hechicería, ocultismo, y satanismo en los Estados Unidos y a través del mundo.

La Biblia nos permite hacer una serie de observaciones acerca de Satanás:

- El nombre *Satanás* quiere decir adversario o enemigo. El apóstol Pedro incluso lo llama «vuestro adversario el diablo» (1 Pedro 5.8).
- Originalmente llamado Lucifer, que quiere decir Lucero, hijo de la mañana (Isaías 14.12), Satanás es un ser espiritual y fue posiblemente el ángel de la más alta categoría en el orden creado por Dios (Lucas 10.18-20; Ezequiel 28.14-15).
- Sin embargo, pecó al rebelarse contra Dios y llegó a ser el máximo ser malo en todo el universo, el enemigo que se opone a la voluntad de Dios.
- Su pecado fue el orgullo. Quería ser igual a Dios, no en el sentido de poseer el carácter santo de Dios, sino en poseer una autoridad igual a la de Dios (1 Timoteo 3.6; Isaías 14.13-15).

- Su meta es establecer su propio reino y gobernar en lugar de Dios (Isaías 14.13-14; Mateo 4.8-9).
- Satanás es el principal engañador y destructor. Jesús incluso lo llamó homicida, mentiroso y padre de toda mentira (Apocalipsis 20.10; 12.9; 9.11; Juan 8.44).

Satanás está totalmente contra Dios.

- Satanás trata de destruirnos. Ciega las mentes de los incrédulos para que no puedan creer en el Evangelio. Al gobernar sobre todos los demonios, los usa para tratar de derrotarnos y nos tienta para que pequemos (Mateo 12.24-27; 2 Corintios 4.4; Efesios 6.11-12; 1 Corintios 7.5).
- Extremadamente poderoso, Satanás es el dios de esta era y el príncipe del poder del aire (2 Corintios 4.4; Efesios 2.2).
- Satanás no es omnisciente y no puede estar en más de un lugar al mismo tiempo. Aunque es muy poderoso, su poder es limitado. Su inteligencia y su ejército de demonios que cumplen sus órdenes lo hacen parecer más poderoso de lo que es (Job 1.7-12; 2.4-6).
- Satanás (y posiblemente sus demonios) se disfraza de ángel de Luz para engañar a la gente y hacerles creer que él y sus demonios son espíritus buenos cuando en realidad son malos (2 Corintios 11.13-15).
- Al final, Jesús triunfará sobre Satanás, que será juzgado y condenado eternamente por su indescriptible maldad (Apocalipsis 20.10).

¿Qué son los demonios?

Probablemente los demonios son los ángeles que pecaron al seguir a Satanás en su rebelión contra Dios. Ahora se oponen a la voluntad de Dios y hacen la voluntad de Satanás.

La Biblia también nos da información acerca del carácter y el trabajo de los demonios:

- Los demonios son seres espirituales, probablemente los ángeles que adhirieron a la rebelión de Satanás contra Dios y lo siguieron en su oposición a la voluntad de Dios (Lucas 10.17-20; Apocalipsis 12.7-9).
- Los demonios parecen estar organizados en un ejército jerarquizado, con algunos pareciendo ser el poder espiritual detrás de los reinos, naciones y gobiernos, mientras que otros se concentran en las personas (Daniel 10.13; Isaías 14.12; Ezequiel 28.13-19; Efesios 6.12).
- Tienen su propia «doctrina» la que promueven entre los humanos para engañarlos y destruirlos (1 Timoteo 4.1-3).
- Los demonios pueden ejercer varios grados de control sobre las personas, pueden infligir males físicos, causar locura o descontrol mental, dar a una persona fuerzas extraordinarias y habilidades aparentemente sobrenaturales, y apoderarse de la vida y el destino de alguien si se lo permiten (Mateo 9.32-33; 10.8; 17.15-18; Marcos 6.13; Lucas 8.26-31; Hechos 16.16-24).

Una pregunta importante que debe responderse es si las personas pueden ser poseídas por demonios. Algunos creen que es posible porque varias traducciones al inglés de la Biblia, siguiendo la línea de la versión *King James*, hacen referencia a la posesión demoníaca. En castellano con frecuencia se habla de la posesión demoníaca debido quizás a esta influencia.

Por qué necesito saber esto

Para ser bendecido y fortalecido por los buenos, y ser protegido de y vencer sobre los malos, debo saber tanto sobre los buenos como sobre los malos espíritus.

Sin embargo, hay tres dificultades con tales traducciones. Primero, las palabras «poseído por demonios» y «posesión demoníaca» no se encuentran en la lengua original (griego) del Nuevo Testamento. Nuestra palabra castellana «demonio» fue tomada directamente (transliterada) de la palabra griega *daimon*. Afortunadamente, la forma verbal de *daimon*, que es *daimonizomai*, en castellano se traduce «endemoniar», aunque quizás sería más preciso decir «demonizar».

Segundo, debido a que las palabras «poseído por demonios» no están en la lengua original, no podemos decir con absoluta seguridad que se refiera a ser poseído por demonios. Mientras «estar demonizado» no se define, en las Escrituras tenemos descripciones de casos de influencia demoníaca que varían en intensidad. En un extremo tenemos el caso del endemoniado gadareno que sádicamente se hería, andaba desnudo, vivía entre las tumbas y parecía estar bajo el control permanente de demonios (Marcos 5.1-15). Al otro extremo de la escala leemos de Pedro tratando de convencer a Jesús que no se sometiera a la crucifixión, a lo que Jesús le dijo, «Apártate de mí, Satanás» (Mateo 16.23).

Tercero, al hablar de «posesión demoníaca» se induce a un erróneo concepto de «todo o nada» respecto a la influencia demoníaca en la vida de las personas. Fácilmente podemos equivocarnos al pensar que una persona o está libre de la influencia demoníaca o está poseída por un demonio. Sin embargo, esta observación no está garantizada ni por la lengua original de la Biblia —es decir, los ejemplos que se encuentran en la Biblia— ni por la observación de quienes vieron o experimentaron la influencia demoníaca.

Usar las palabras «endemoniar» o «demonizar» nos permite, correctamente, hablar de influencia demoníaca sin definir necesariamente el grado de la influencia. Una persona puede estar ligera o severamente endemoniada. Este término es más preciso y más útil que estar limitado a las opciones de «poseído» o «no poseído».

Podríamos definir estar «endemoniado» como estar bajo la influencia de uno o más demonios. Esta definición permite que tanto los cristianos como los no cristianos sean endemoniados en grados de demonización que vayan de leve a severa. En la Biblia, los casos más graves de demonización parecen incluir a un demonio que realmente habita el cuerpo de una persona. Leemos de gente que tenía un demonio y que le pedían a Jesús que echara fuera del cuerpo de su ser querido al demonio. Jesús lo hacía, y el demonio o los demonios salía(n) (Marcos 7.26).

Los que prefieren la expresión «posesión demoníaca» por lo general se están refiriendo a la *habitación* de un ser humano por uno o más demonios. Si alguien estuviera *influenciado* por un demonio, pero no realmente habitado, tendría que hablar como que está «oprimido por un demonio». Pero no existe consenso entre quienes usan estos términos sobre si los cristianos pueden ser «poseídos por demonios» o no. Como en la Biblia no se habla de demonización después del libro de los Hechos, algunos piensan que la posesión demoníaca no ocurre después de Hechos. Otros dicen que podría ocurrir con los no cristianos, pero no con los cristianos.

Los que prefieren el término «demonización» sobre «posesión demoníaca» creen que el silencio sobre este tema después del libro de los Hechos no significa necesariamente que no hayan ocurrido más casos de demonización. Una posible conclusión es que haya cesado toda influencia demoníaca tal como la encontramos en los Evangelios y en los Hechos, pero el silencio de las Epístolas sobre la demonización pudo haber sido también una coincidencia. O el silencio pudo haber sido el resultado de propósitos y formas diferentes de escribir que manifiestan las Epístolas en comparación con los Evangelios y los Hechos. Como las cartas responden a problemas específicos y generales dentro de las nacientes iglesias cristianas, las Epístolas no enfatizan descripciones de acción, mientras los libros de narración histórica como los Evangelios y los Hechos consisten fundamentalmente de descripción de acciones. Quizás entonces no sea posible una sola conclusión absoluta del texto bíblico. No obstante, muchas personas han observado actividad que pareciera ser muy similar a la actividad demoníaca registrada en los Evangelios y en el libro de los Hechos. Sus observaciones sugieren que la demonización sigue ocurriendo en el día de hoy.

Conclusión

«¡Dios, muéstrate más fuerte que los espíritus!»

Durante años, Joanne Shetler, misionera de Wicliffe en un remoto y primitivo pueblo en Filipinas había orado esa oración. Durante siglos, la gente de Balangao había adorado los espíritus caprichosos y difíciles de complacer que hacían implacables demandas de sacrificios. Los balangaos sabían que los espíritus tenían poder.

Algunos de los habitantes de la aldea que habían empezado a tomar en serio a Joanne estaban provocando un alboroto en toda la aldea. Dos ancianas que habían sido poderosas mediums de los espíritus habían decidido adorar a Dios. Furiosos, los espíritus sembraron el terror en la aldea. La gente, temblando de miedo, fue a rogar a Joanna que no permitiera que las mujeres adoraran a Dios pues de lo contrario, los espíritus las matarían. En el pasado, todos los que habían intentado dejar de servir a los espíritus habían pagado el atrevimiento con sus vidas, de modo que todos esperaban que las dos ex mediums también tendrían idéntico destino.

Cuando las dos mujeres no murieron, esta gente primitiva se abrió a las Escrituras. Los balangao aprendieron que Dios tiene un poder mucho más grande que el de los espíritus demoníacos a los que habían venido sirviendo. En su libro *And The Word Came With Power* [Y la Palabra llegó con poder] Joanna cuenta este y muchos otros acontecimientos dramáticos.

Esta es solo una de las incontables historias que hablan de encuentros directos con las fuerzas de oscuridad. A las tantas personas que nunca llegan a tener una experiencia con algo ni *remotamente parecido a* estas claras manifestaciones demoníacas, las historias que otros cuentan parecen sencillamente demasiado fantásticas para creerlas. Yo era una de esas personas. Pero los que han atravesado sendas por el lado oscuro no tienen dificultad en creerlas.

Aunque no hay conexión entre ellas, tanto el movimiento de la Nueva Era por un lado, y los movimientos carismáticos y de la Tercera Ola por el otro, han levantado el interés por los ángeles. Un peligro que ha surgido con este interés creciente es que la gente ha tenido aparentemente experiencias benignas con lo que creen que son ángeles cuando probablemente se trata de demonios de maldad. En muchas de las historias recientes, los ángeles no se parecen en nada a los ángeles que describe las Escrituras. Numerosas historias describen ángeles que se materializan para ayudar a una persona en dificultades, casi como si fueran el genio de la lámpara de Aladino. Estos ángeles no confrontan a nadie con el pecado y nunca exigen cambios en la conducta o carácter de las personas.

En la Biblia, sin embargo, cuando un ángel se aparece abiertamente y habla, por lo general sus primeras palabras son, «¡No temáis!» No creo que los ángeles malgasten las palabras. Más bien creo que dicen esto porque las personas que los ven *como ángeles* y no como humanos se asustan al principio. Los ángeles son seres impresionantes y poderosos que entregan mensajes de Dios, los que a menudo incluyen juicios morales relacionados con acciones y actitudes. Ellos no son genios salidos de una botella para concedernos tres deseos. Mensajeros de Dios, representan a Dios ante nosotros.

Los ángeles y los demonios existen. Es posible que sin que te hayas dado cuenta, los ángeles hayan entrado y salido de algunos sucesos en tu vida. Quizás han actuado en forma invisible o tomando alguna forma humana de modo que tú nunca pudieras darte cuenta que un ángel te había visitado. Y aunque las fuerzas demoníacas deben tomarse con toda seriedad, los cristianos no tienen por qué tenerles miedo, porque «mayor es el que está en vosotros, que el que está en el mundo» (1 Juan 4.4). Los poderes de oscuridad forman una jerarquía de seres espirituales de maldad que ejecutan las órdenes de su señor, Satanás. Los poderes de Luz constituyen una jerarquía de ángeles buenos que hacen la voluntad de su Maestro, Dios. Aunque es difícil para nosotros pensar en estos términos, debemos estar alertas del mundo invisible que nos circunda: fuerzas de oscuridad trabadas en combate mortal con las fuerzas de Luz. ¡La guerra espiritual es una realidad!

¡Topes de velocidad!

Baja la velocidad para asegurarte que has captado los puntos principales de este capítulo.

Pregunta Respuesta

P1. ¿Qué son los ángeles buenos?

R1. Angeles son *espíritus* que viven mayormente en un reino invisible y hacen la voluntad de Dios.

P2. ¿Quién es Satanás?

R2. Satanás, probablemente el ángel bueno de más alta jerarquía antes que se rebelara contra Dios, es ahora el *enemigo* que se opone a la voluntad de Dios.

P3. ¿Qué son los demonios?

R3. Demonios son probablemente los ángeles que pecaron siguiendo a Satanás en su rebelión contra Dios. Ahora se oponen a la voluntad de Dios y hacen la voluntad de Satanás.

Llena los espacios en blanco

Pregunta Respuesta

P1. ¿Qué son los ángeles buenos?

R2. Angeles son ____________ que viven mayormente en un reino invisible y hacen la voluntad de Dios.

P2. ¿Quién es Satanás?

R2. Satanás, probablemente el ángel bueno de más alta jerarquía antes que se rebelara contra Dios, es ahora el ____________ que se opone a la voluntad de Dios.

P3. ¿Qué son los demonios?

R3. Los demonios son probablemente los ángeles que ____________ siguiendo a Satanás en su rebelión contra Dios. Ahora se oponen a la voluntad de Dios y hacen la voluntad de Satanás.

Para más pensamiento y análisis

1. ¿Has tenido alguna vez una experiencia en la cual fuiste salvado de algún desastre tan dramáticamente que sospechas que un ángel pudo haberte salvado?
2. ¿Has tenido alguna vez un encuentro con una personas que era tan inusual que sospechas que era un ángel con aspecto humano?
3. ¿Has tenido alguna vez un encuentro con el mal tan vívido que sospechas que ahí tuvo que haber habido un demonio?
4. ¿Crees que entiendes la guerra espiritual lo suficientemente bien como para sentirte seguro? Al leer el resto de este libro, ¿qué respuestas esperas recibir a tus preguntas sobre la guerra espiritual?

¿Y si yo no creyera?

1. Si no sé que los ángeles existen, yo quizás entienda mal, interprete mal o ignore del todo la obra de un ángel en mi vida. Quizás pierda la confianza de saber que probablemente haya un ángel asignado a cada cristiano y que nada puede ocurrirme sin que Dios lo permita.
2. Si yo no creo en Satanás, no estaré atento a sus ataques para engañarme y destruirme. Fácilmente podría transformarme en una víctima desafortunada simplemente por mi ignorancia o incredulidad.
3. Si no creo en los demonios, no solo puedo quedar a merced de sus extravíos, sino que también podría ser arrastrado a la maldad,(por no enyender o creer que soy) ser victorioso sobre ellos.
4. Necesito saber qué caracteriza tanto a los ángeles buenos como a los demonios y las acciones que son típicas a cada uno, de modo que no pueda ser inducido a pensar que las

acciones de los ángeles malos son realmente de los ángeles buenos.

Para un estudio extra

1. Las Escrituras

Varios pasajes clave de la Biblia hablan de ángeles, demonios y Satanás. En este capítulo hemos dado ya muchas referencias. Incluimos a continuación algunos de los pasajes más destacados.

- Isaías 6.1-8
- 2 Corintios 11.14
- Efesios 2.2
- Efecios 6.10-13
- Hebreos 1.14
- Hebreos 13.2
- Santiago 4.7
- 1 Pedro 5.8
- Judas 6
- Apocalipsis 4-5

La mayoría de los escritores rusos han estado tremendamente interesados en dar con el paradero y las propiedades esenciales de la Verdad ... Tolstoi se decidió a buscarla, cabeza erguida y puños apretados, y encontró el lugar donde alguna vez había estado clavada la cruz [de Cristo].

■ **Vladimir Nabokov**

3

¿Qué es el cinto de la verdad?

Nadie puede decir «mentiras» más grandes que los pescadores. Exagerando el tamaño del pez que «casi pescaron» o del que «se les escapó» nos han dado la expresión *historia de peces*. Es más, un pescador que dice una mentira grande, otro dice una aun más grande. La persona que pesca el pez más grande se gana un premio, pero también la persona que cuenta la más grande *historia de peces*, y a menudo el tamaño del pescado empalidece en comparación con el tamaño de la historia. Un competidor dijo que él había encontrado un lugar donde la pesca era tan buena que se había tenido que esconder detrás de un árbol para preparar el anzuelo. Una vez que estaba un poco distraído y se olvidó pararse detrás del árbol, un pez de siete libras saltó fuera del lago, se alejó nueve metros de la orilla y mordió el anzuelo que el pescador estaba preparando.

Cuando busques un lugar donde se promuevan estas historias, anda a Burlington, Wisconsin y preguntas por el Club de los Mentirosos. Allí, el que quiera puede ingresar con un dólar y una mentira suficientemente buena y muchos han ingresado a través de los años. Un aspirante a ingresar al club contó que una vez cortó un árbol en medio de una niebla tan espesa que el árbol no cayó sino hasta que la niebla se hubo disipado. Otro dijo que su esposa era tan haragana que a las gallinas las alimentaba con palomitas de maíz para que cuando friera los huevos, estos brincaran y se dieran vuelta solos en la sartén. Otro dijo que el año anterior había sido tan seco que las ranas que habían nacido en la primavera nunca habían podido aprender a nadar. Y otro dijo que los pies de su esposa eran tan fríos que cada vez que se quitaba los zapatos, la chimenea se echaba hacia atrás.

Todo el mundo sabe y entiende, por supuesto, que esto en realidad no es mentir. Estas exageraciones son nada más que una forma de entretenerse. Todos se ríen y nadie toma en serio las historias.

Parte de la ética del pueblo de Estados Unidos es que hay que decir la verdad. Aun aquellos que mienten creen que la «verdad» debe ser parte de la ética estadounidense. Desde los primeros días de esta nación cuando oíamos la historia de George Washington admitiendo que él no podría decir una mentira pero que había sido él quien había cortado el árbol, hasta el desafuero del presidente Nixon por los engaño en el escándalo de Watergate, creemos que los buenos estadounidenses dicen la verdad.

Pero en «A Nation of Liars?» («¿Un país de mentirosos?») el comentarista Merrill McLoughlin hace la siguiente observación:

> El escándalo está golpeando al gobierno, y los votantes han dejado de acudir a votar debido a que han sido inundados con publicidad negativa, muchas de ellas realizadas con insinuaciones engañosas. Wall Street todavía está tambaleándose a raíz de las revelaciones de prácticas de negocios inescrupulosas. Ha habido una ola de revelaciones sobre investigaciones científicas falsificadas y extravagantes: Un estudio publicado el mes pasado acusó a cuarenta y siete científicos de las escuelas de medicina de las universidades Harvard y Emory de producir documentos adulterados. Un subcomité de la Casa de Representantes estimó el año pasado que uno de cada tres trabajadores estadounidenses es contratado con credenciales educacionales o profesionales que de una u otra manera han sido adulteradas (*US News & World Report*, Feb. 23, 1987, 54).

Pareciera que entre los estadounidenses la deshonestidad va en aumento.

Aquí, la impresión alarmante es que Estados Unidos está poniéndose más y más deshonesto. Mientras la gente piensa que todos debemos decir la verdad, más y más personas se sienten libres de mentir cuando les conviene. Hoy día, mentir, tanto a nivel personal como de la vida pública, es mucho más común de lo que era.

Un Gran Cañón de diferencia separa a las inocuas exageraciones de la plaga de mentiras que insidiosamente contaminan nuestra sociedad. Nada señala con más claridad que el artículo de McLoughlin la necesidad que tenemos de la verdad. Y nadie necesita estar más consciente de la verdad que los cristianos, quienes deben estar comprometidos en aprender la verdad y en vivirla en hechos y palabras. Sobre la verdad, la Biblia es inequívoca. La verdad es la primera arma en el arsenal del cristiano, el primer componente de toda la armadura de Dios.

En nuestra preparación para enfrentar al jefe de la maldad y a sus huestes impías que están dispuestos a engañarnos y a destruirnos, y si queremos ser victoriosos, debemos reconocer y seguir ciertas verdades espirituales. Para comunicar vívidamente estas verdades espirituales, el apóstol usa la idea de la armadura de un soldado romano. La armadura tiene seis partes, dice Pablo, y si las usamos -es decir, si adherimos a estas verdades- podemos ganar las batallas espirituales.

¿Qué representa el cinto de la verdad?

El cinto de la verdad representa un compromiso con la verdad de la Palabra de Dios.

«Estad, pues, firmes, ceñidos vuestros lomos con la verdad» (Efesios 6.14).

La primera de las seis partes de la armadura espiritual es el cinto de la verdad. El soldado romano usaba un cinto de cuero grueso para asegurarse la túnica y para colocar la funda de su espada. Cuando el soldado romano «se ceñía sus lomos» echaba su larga túnica exterior debajo del cinto de modo que no pudiera molestarle cuando tuviera que correr o pelear.

De igual manera, el cristiano debe prepararse para la batalla espiritual poniendo en su lugar su compromiso a la verdad de las Escrituras, y disponiendo su mente a seguir esa verdad.

Esto evita dobleces y pasos en falso en los que se puedan enredar las piernas y tropezar, haciéndole vulnerable en la batalla.

En 1 Pedro 1.13 Pedro usó la misma ilustración cuando escribió: «Por tanto, ceñid los lomos de vuestro entendimiento, sed sobrios, y esperad por completo en la gracia que se os traerá cuando Jesucristo sea manifestado». Esto quiere decir, «Prepara tu mente para la acción. Alístate para el combate. Contrólate. Concéntrate».

El cristiano debe prepararse para la batalla a través de hacer un compromiso total a la verdad de las Escrituras y disponiéndose a seguir esa verdad.

¿Cuál debe ser el nivel de nuestro compromiso a la verdad?

Nuestro compromiso a la verdad debe ser total y definitivo.

Semper Fidelis (siempre fiel) es el lema oficial grabado en piedra de los Cuerpos de Marina de los Estados Unidos. Desde 1775, los marinos han sido los primeros en pelear en casi todas las principales guerra de los Estados Unidos. Por más de doscientos años, «desde los corredores de Moctezuma a las costas de Trípoli» los marinos han demostrado su lealtad, disciplina y fidelidad.

Imagínate el daño ocasionado a esta imagen cuando en 1987, en el escándalo de «espías secretos por sexo» dos guardias de Marina en la embajada de Estados Unidos en Moscú escoltaron a agentes soviéticos a los salones más sensitivos del consulado, incluyendo el «seguro» centro de comunicaciones. ¿El daño? Incalculable. Amenazó a toda la lista de agentes secretos, comprometió los códigos de transmisión e inmnovilizó planes cuidadosamente diseñados.

La verdad tiene una tremenda importancia en nuestras vidas. La verdad individual o la falsedad afectan a todos los que nos rodean. Sin un nivel básico de moralidad, sin un fundamento de confianza y seguridad, la sociedad colapsaría. No se podría negociar sin gastar millones de dólares en pagos legales para protegernos de los que quisieran engañarnos. Millones de dólares de los impuestos tendrían que destinarse a construir prisiones, edificios y para alimentar a los presos. Los sistemas escolares se desmoronarían, las familias se desmembrarían, el sistema de asistencia pública y ayuda social entraría en bancarrota. En una palabra, la sociedad se desintegraría.

A menos que las personas sean respetuosas de su palabra, la democracia no puede funcionar. Mientras más personas se alejan de la verdad, más problemas nacionales se desarrollan y más se desintegra la sociedad.

«No os engañéis», escribió Pablo a los gálatas, «Dios no puede ser burlado; pues todo lo que el hombre sembrare, eso también segará» (Gálatas 6.7). Si sembramos mentiras y deshonestidad, segaremos corrupción y desintegración. Es una necesidad política y filosófica ser respetuosos de nuestra palabra.

Pero el compromiso del cristiano a la verdad va más allá de una comprensión filosófica de la importancia de la verdad en la sociedad. Nosotros debemos comprometernos a la verdad, a creer en la verdad y a vivirla.

Está la verdad (como en «decir la verdad») y está la Verdad. Dios es Verdad. Él es siempre veraz a lo que es y veraz a su Palabra. Él solo habla y actúa lo que es verdad. Y ya que nosotros hemos sido creados a la semejanza de Dios, debemos hablar y actuar de acuerdo con lo que es verdad.

En este capítulo aprendemos que:

1. El cinto de la verdad ilustra un compromiso a la verdad de la Palabra de Dios.
2. Nuestro compromiso a la verdad debe ser total y definitivo.
3. El cristiano debe comunicar la verdad en palabra y en obras, pues en ello están en juego su carácter, la credibilidad del evangelio, y la reputación misma de Dios.
4. La verdad de Dios es absoluta, eterna e incambiable.

¿Puedes imaginarte a Dios no respetando su Palabra? «Oh, sí, yo sé que dije que irrumpiría en la historia y pondría fin al pecado y al dolor y a las injusticias y establecería un nuevo cielo y una nueva tierra donde mis hijos vivirían para siempre en amor y gozo y paz, pero la verdad es que les mentí, lo siento» ¿Puedes imaginarte a Dios diciendo, «El Calvario fue una broma, una farsa. Tus pecados no han sido perdonados. Vas a tener que conseguir que se te perdonen mediante tus propias fuerzas. Lo siento, pero te deseo suerte»?

Esto sería incomprensible, ¿no te parece? Y un pensamiento realmente aterrorizante. Nosotros contamos con que Dios sea veraz en cada aspecto de su Palabra. Como Dios es veraz a su Palabra, nosotros tenemos que ser veraces a la nuestra. Esto significa que:

- debemos abrazar la verdad total de las Escrituras;
- debemos decir la verdad y ser veraces a nuestra palabra;
- debemos respaldar todo lo que decimos con la forma en que vivimos.

Cuando nos comprometemos a creer la verdad, creemos las promesas de Dios y descansamos en ellas; creemos en los mandamientos de Dios y los obedecemos. Y confiamos en la verdad de las Escrituras y ordenamos nuestra vida de acuerdo con ella.

Esto es lo que significa ceñirse el cinto de la verdad.

¿Por qué un cristiano debe decir la verdad en palabra y en hechos?

El cristiano debe decir la verdad en palabra y en hechos, porque están en juego su carácter, la credibilidad del evangelio y la reputación del mismo Dios.

En su libro *Integrity* [Integridad], Ted Engstrom dice, «Cuando ya no podemos seguir dependiendo los unos de los otros en cuanto a hacer lo que dijimos que haríamos, el futuro se transforma en una pesadilla indefinible. ¿Qué ocurre con nuestros legisladores? ¿Obedecen ellos las propias leyes que aprueban? ¿Han nuestros predicadores oído sus propios sermones sobre arrepentirse? ¿Ha desaparecido el factor ética del mundo de los negocios? ¿Aman los "amadores" a su prójimo con el amor auténtico? ¿Están los padres produciendo carácter en sus hijos o están simplemente criando caracteres?»(3-4).

Parece que no.

Los resultados de una reciente encuesta Gallup revelaron que los estándares éticos de los cristianos en sus lugares de trabajo no eran más altos que los de los no cristianos. Esto incluía ser honrado en materia de negocios y ser respetuoso de la palabra empeñada. ¡Esta es una noticia alarmante! ¡Si alguien va a actuar aparte de la gran mayoría en materia de confiabilidad ese debería ser el cristiano!

Yo sé que este no es un tema fácil o sencillo. Durante siglos, los teólogos y filósofos han debatido sobre si se debe o no decir una mentira. Por ejemplo, ¿debe decirse una mentira para salvar una vida, como hizo Rahab, en los días de Josué, cuando mintió para salvar la vida de los espías israelitas? ¿O como cuando Winston Churchill dijo una vez, «En tiempo de guerra, la verdad es tan preciosa que debería ser servida por un ejército de mentiras»?

Mi propósito no es tocar los extremos teóricos, sino hacer un llamado a la iglesia a una postura más alta. Debe ascender a éticas y moralidades superiores en cuanto a cómo trabajamos, cómo tratamos a los demás y cómo actuamos según el fundamento de nuestro compromiso a Cristo. No caigamos en la enfermedad de la «mentira» que está infectando a nuestra sociedad, porque Dios odia la mentira.

«No hablarás contra tu prójimo falso testimonio» (Éxodo 20.16). «Seis cosas aborrece Jehová», dice Proverbios, y una de ellas es «una lengua mentirosa» (Proverbios 6.16-17). «Por lo tanto», dice Pablo, «desechando la mentira, hablad verdad» (Efesios 4. 25).

La desintegración moral de la sociedad, con ser algo terrible, es una oportunidad para confrontar a las personas con la verdad de Cristo y con la Biblia. Y como ellos no tienen una respuesta para cada uno de los dilemas que enfrentan, más y más personas están dispuestas a escuchar.

Debemos, por lo tanto, comprometernos con la verdad en palabra y en obras. Debemos ser personas de la verdad, no personas de la mentira. Debemos ser personas de integridad.

Por qué necesito saber esto

Si no me comprometo a aprender la verdad y a comunicarla, estoy expuesto a caer en la red del engaño y del auto-engaño que solo puede traer en el mejor de los casos conflictos, y en el peor de los casos, la ruina.

La raíz de la palabra *integridad* viene de la palabra *integer*, que quiere decir «completo». A menudo la usamos en matemáticas cuando decimos que un número entero es un número completo. Ser una persona de integridad ha llegado a significar una persona honesta y ética, pero esto viene de la idea de ser una persona completa.

Si somos una persona completa debe haber consistencia entre lo que decimos y lo que hacemos. No podemos ser de doble comportamiento, tener dos caras o ser hipócritas; no podemos decir una cosa y hacer otra. Si somos personas de integridad, nuestras vidas van a respaldar lo que decimos. Así, si decimos que evangelizar es importante, pero no nos involucramos en la evangelización, no estamos siendo personas completas. No hemos integrado ambos elementos, lo que significa que si decimos que respaldar los ministerios cristianos es importante pero no damos generosamente, todavía no hemos integrado el decir con el hacer. Si decimos que nuestras familias son importantes pero no hacemos nada para desarrollarlas como corresponde, seguimos sin integrar los elementos decir y hacer. Una persona de integridad pone su vida donde está su boca.

Por supuesto que no estamos enseñando perfeccionismo. Por supuesto que a veces tropezaremos y caeremos en nuestro camino en prosecución de la verdad. Dios sabe eso. Por eso es que envió a Jesús a morir por nuestro pecado. Habrá momentos en que el cinto se soltará y parecerá que se cae, pero siempre que ocurra eso, podremos apretarlo y asegurarlo de nuevo.

Cada vez que actuamos en algo que no es la verdad, nos estamos poniendo en peligro. Las cosas no son verdaderas porque la Biblia diga que son; la Biblia dice que son verdad porque lo son.

¿Es la verdad absoluta o relativa?

La verdad de Dios es absoluta, eterna e incambiable.

Relativismo es la creencia que toda verdad es relativa. Alan Bloom, en su obra maestra *The Closing of the American Mind* dice que «la verdad» más generalmente aceptada en Estados Unidos hoy día es que la verdad es relativa. Que no existe tal cosa como verdad absoluta. Cada persona es libre de determinar por sí mismo qué es verdad. Tú puedes creer una cosa, y yo puedo creer lo opuesto pero que eso está bien porque cada cosa es verdad para la persona que cree en ella.

La desintegración viene después de la pérdida de la verdad absoluta.

Esta perspectiva está causando estragos en el mundo de los negocios, en nuestros sistemas educacionales, en los gobiernos, en la familia, en la moralidad y en la escala de valores, en la iglesia y en cualquiera otra cosa en la vida de nuestros pueblos. ¿Y sabes por qué? Porque, como dice Jueces 21.25, «cada uno hacía lo que bien le parecía». Cuando cada persona hace lo que le parece bien a ella, una democracia, que depende de la acción cooperativa, empieza a colapsar. Y al grado que hasta la iglesia se ve afectada (en realidad, lo que sea que afecte a la sociedad siempre afectará igualmente a la iglesia), y empieza a perder su capacidad de impactar a la sociedad.

Esta es la razón por qué nuestra sociedad se está desintegrando desde adentro, y por qué la iglesia parece más ineficaz de influir a la sociedad, y por qué las vidas, incluyendo a las de los cristianos, se encuentran a menudo trastornadas y extraviadas. Cultural, eclesiástica y personalmente estamos pagando el precio de vivir en una sociedad que ha abandonado la verdad absoluta.

Cuando la gente se pregunta qué pasa con nuestras naciones, la respuesta es, como lo dijo Alexander Solzhenitsyn, «los hombres se han olvidado de Dios». Y con el olvido de Dios viene la pérdida de la verdad absoluta, y con la pérdida de la verdad absoluta todo se desintegra.

Pero no solo pagamos un precio pavoroso como países y culturas, sino que como cristianos individuales y la iglesia como un todo también paga un precio pavoroso. Cuando los cristianos abandonamos la verdad absoluta y abrazamos el relativismo estamos destruyendo la integridad de la Biblia ya que la Biblia dice ser la «verdad absoluta»; y como cada persona llega a sentirse libre para determinar por ella misma lo que es verdadero y lo que es falso, perdemos el correcto sentido de pecado. Perdemos una cultura justa dentro de la iglesia, y nuestro testimonio a los que están fuera; y como la Biblia, cuya veracidad hemos destruido nos habla del origen y la naturaleza del universo y de la humanidad, perdemos también la capacidad de explicarlos.

Conclusión

James Boice, pastor de la venerable iglesia Presbiteriana Tenth en Filadelfia, ha escrito:

> En tiempos antiguos... la alfarería fina era delgada. Tenía un color claro, y tenía un precio muy alto. La alfarería fina era muy frágil tanto antes como después de pasarla por el fuego. Y... a veces se rompía en el horno. Los pedazos de una pieza rota se desechaban. Pero los distribuidores deshonestos acostumbraban pegar los pedazos con una cera de perla que adquiría el color de la pieza de alfarería. Esto hacía que para los clientes fuera casi imposible detectar una pieza remendada, especialmente después de

pintada y barnizada. Pero si la pieza de alfarería se exponía contra la luz, en especial la luz del sol, la cera era detectada inmediatamente. Cuando se trataba de una pieza reparada, la cera se veía más oscura. Se decía que la «prueba del sol» dejaba al descubierto el elemento artificial. Los vendedores honestos marcaban sus productos con la leyenda *sine cera,* «sin cera». (*Filipenses: Un comentario expositivo* 55).

La luz del sol dejaba al descubierto los defectos. De la misma manera, la luz de la verdad deja al descubierto el error. Sin la luz del sol, compradores inadvertidos podían ser víctimas de comerciantes inescrupulosos y perder su dinero al comprar un producto defectuoso. Sin la luz de las Escrituras, sin la luz de la verdad, todos podríamos ser engañados por las fuerzas traicioneros de oscuridad tratando de embaucarnos para que compremos un producto de inferior calidad -el error- en lugar del producto genuino, la verdad. Sin la verdad, nuestras vidas se desintegrarían.

La verdad y el amor por la verdad son importantes porque Satanás es un mentiroso y el padre de mentiras (Juan 8.44). Uno de sus primeros objetivos es torcer la verdad, esconder la verdad, decir medias verdades que no son más que mentiras completas, y engañarnos para que creamos lo falso. Él es un engañador y un destructor. Engaña para destruir. Por lo tanto, debemos conocer la verdad, comprometernos con ella, vivirla, anunciarla. La verdad es el único camino para alcanzar la victoria en la guerra espiritual. Debemos amarrarnos el cinto de la verdad.

Topes de velocidad

Baja la velocidad para asegurarte que has captado los puntos principales de este capítulo.

Pregunta Respuesta

P1. ¿Qué representa el cinto de la verdad?

R1. El cinto representa un *compromiso* con la verdad de la Palabra de Dios.

P2. ¿Cómo debe ser nuestro compromiso con la verdad?

R2. Nuestro compromiso con la verdad debe ser *total* y permanente.

P3. ¿Por qué un cristiano debe decir la verdad en palabra y obras?

R3. El cristiano debe decir la verdad en palabra y obras porque está comprometido su carácter, la *credibilidad* del evangelio y la reputación misma de Dios.

P4. ¿Es la verdad absoluta o relativa?

R4. La verdad de Dios es *absoluta,* eterna y no cambia.

Llena los espacios en blanco

Pregunta Respuesta

P1. ¿Qué representa el cinto de la verdad?

R1. El cinto de la verdad representa un ______ a la verdad de la palabra de Dios.

P2. ¿Cómo debe ser nuestro compromiso con la verdad?

R2. Nuestro compromiso con la verdad debe ser ________ y permanente.

P3. ¿Por qué un cristiano debe decir la verdad en palabra y obras?

R3. El cristiano debe decir la verdad en palabra y obras porque está comprometido su carácter, la ________________ del evangelio y la reputación misma de Dios.

P4. ¿Es la verdad absoluta o relativa?

R4. La verdad de Dios es ______________, eterna y no cambia.

Para un análisis más profundo

1. ¿Cuáles son algunos de los problemas más grandes que se

han originado porque la gente ha dejado de ser respetuosa de su palabra (esto puede darse en las áreas personal, política, social u otros aspectos de la vida)?

2. ¿Qué problemas podría enfrentar una persona que esté decidida a decir siempre la verdad?
3. ¿Qué evidencias ves tú en tu propia vida de que te has puesto el cinto de la verdad? ¿Hay alguna evidencia de que lo has dejado soltarse un poco? Explica.

¿Y si yo no creyera?

1. Si yo no creo en la verdad absoluta de las Escrituras, puedo sumergirme a mí mismo en un mar de incertidumbre, incapacidad de saber nada con certeza y sin ninguna base para la esperanza.
2. Si no me comprometo con la verdad, me expongo a consecuencias lamentables cuando viole la verdad.
3. Si pretendo ser un cristiano pero no vivo de acuerdo con la verdad, estoy manchando mi propia reputación así como la reputación del Evangelio y del propio Dios.

Para un estudio extra

1. Las Escrituras

Varios pasajes de las Escrituras hablan de la importancia de la verdad:

- Juan 8.32
- Romanos 1.25
- Efesios 6.14
- 2 Timoteo 2.15
- 1 Pedro 1.22

Lee estos pasajes y piensa en cómo ellos te pueden ayudar a entender la importancia de la verdad.

Santidad no es una serie de hagas y no hagas, sino un conformarse al carácter de Dios en la profundidad misma de nuestro ser. Este conformarse es posible solo si estamos unidos con Cristo.
■ **Jerry Bridges**

4

¿Qué es la coraza de justicia?

A Gary Richmond, un cuidador del Zoológico de Los Ángeles, se le entregaron las llaves maestras de todas las jaulas de los animales. Se le advirtió seriamente que su trabajo era velar atentamente por la vida de los animales y cuidar cada puerta que abría y cada puerta que cerraba.

«Gary», le dijo su supervisor, «estas llaves pondrán a tu cuidado animales que valen millones de dólares. Algunos de ellos nunca podrán ser reemplazados, pero tú podrías serlo, si no atiendes a mis instrucciones. Algunos de estos animales se pueden herir si quedan libres y, lo que es peor aún, pueden atacar e incluso matar a alguien. Tú no querrías cargar con eso en tu conciencia, ¿verdad?»

«Tomé en serio lo que me decía y durante cuatro meses trabajé sin cometer un error. Hasta que un día, algo sucedió con el animal más peligroso del zoológico. Iván era un oso polar que bien pesaría unas novecientas libras y que ya había matado a dos congéneres suyos. Odiaba a las personas y no perdía la ocasión de tratar de dar zarpazos a quienes pasaran desprevenidos junto a su jaula.

»Una mañana, levantando un poco la puerta de guillotina de la jaula donde acostumbraba dormir, lo dejé salir a un espacio más amplio para que tomara el sol. No bien hubo pasado por la abertura de la puerta, me di cuenta que, al otro extremo se me había quedado abierta una puerta. Era la puerta que yo tenía que usar para salir después que encerraba a Iván. Ahora él podría pasar por esa puerta y llegar hasta donde yo estaba y comerme, si quería.

»Aterrorizado, miré a la puerta de la guillotina. Iván todavía estaba ahí. Era una criatura de rutina de modo que siempre pasaba la primera hora de la mañana paseándose. Su patrón tenía forma de L. Partiendo de la puerta, caminaba cinco pasos en línea recta, luego doblaba a la derecha y caminaba tres pasos. Repetía la caminata vez tras vez. Siempre que volvía a la puerta de la guillotina, la golpeaba con su cabeza. Así pasaba por una hora y resto.

»Rápidamente medí el tiempo y decidí que tenía diecisiete segundos para correr a través de esa gran jaula y cerrar la puerta que se me había quedado abierta. Aposté mi vida a que no variaría su rutina. Parecía no haberse percatado de la puerta abierta, lo cual era inusual. Los animales tienden a darse cuenta de los más ligeros cambios que haya en el medio ambiente donde viven.

»Decidí que cuando diera la siguiente vuelta, correría lo más rápido que pudiera de modo de llegar a la puerta cuando Iván estuviera en el extremo más alejado de mí.

En este capítulo aprendemos que:

1. El yelmo de justicia representa un estilo de vida de confiada obediencia a Dios.
2. La justicia es tanto imputada como impartida.
3. Nos ponemos el yelmo de un vivir justo diariamente al ser fielmente obedientes a todo lo que entendemos que Cristo nos pide.
4. Las dolorosas consecuencias del pecado, absolutamente predecibles, nos causan profundas heridas.

»Él se volvió y yo corrí. Con cada zancada que daba, mis rodillas se me debilitaban. Mi corazón latía tan fuertemente que temí que fuera a estallar. Llegué a la esquina y enfrenté el momento decisivo. Iván todavía estaba lejos. Me abalancé sobre el tirador de la puerta. En el momento que lo alcanzaba, miré a mi derecha. Allí estaba el oso ... a no más de ocho pies. Nuestras miradas se cruzaron. La suya era fría e insensible ... y estoy seguro que la mía reflejaba todo el terror que me inundaba en ese momento. Halé el tirador con todas mis fuerzas. La abrazadera estaba cerrada e hizo un ruido seco cuando yo la halé. Mis rodillas se me doblaron y caí al piso agobiado por el efecto de demasiada adrenalina. Miré hacia arriba y vi a Iván mirándome fijamente a través de la ventana que tenía la puerta» (*A View from the Zoo*, 25-27. Usado con permiso).

«Tenga cuidado con esas llaves», le había dicho el supervisor a Richmond. «Guárdelas celosamente. Ponga mucha atención a cuáles puertas abre y cuáles puertas cierra». Había un procedimiento establecido así es que en los más serios términos exhortó al guardia a no dejar de sujetarse a esos procedimientos.

¿Por qué tenía que hacerlo? ¿Porque le gustaba fastidiar a sus empleados? ¿Porque era un exagerado? ¿Porque le gustaba limitar la libertad de sus empleados o ahogar su disfrute de la vida?

No. Los procedimientos que impuso a Richmond eran para proteger a su empleado, a los animales y a los visitantes en el zoológico. Amor, cuidado y preocupación formaban el procedimiento, no una perspectiva estrecha y restrictiva.

Así también ocurre con Dios. Él nos fija estándares y nos exhorta a adherirnos a ellos, no porque sea un aguafiestas cósmico, un fastidioso celestial o un exagerado sino porque ve claramente la realidad. Él sabe de las consecuencias y de la relación causa-efecto. Y Él ha establecido dentro del orden creado las restricciones necesarias para evitar que nos causemos daño a nosotros y lo causemos a otros.

Parte de la realidad que Él ve es la guerra espiritual. Él sabe que nuestros enemigos no son carne y sangre, sino los poderes de oscuridad, las «huestes espirituales de maldad» (Efesios 6.12).

Nosotros no podemos verlos ni oírlos. No podemos tocarlos, degustarlos ni olerlos. Pero aquí están ellos. Este imperio de maldad obedece las órdenes de Satanás, y su meta es engañar y destruir a los que son fieles a Dios. Y si no puede destruirnos, a lo menos trata de neutralizarnos de modo que no seamos capaces de guiar a otros a los pies de Cristo.

Si queremos ser efectivos en esta batalla espiritual, Pablo nos enseña que debemos ponernos ciertas partes de la armadura espiritual. Una de las partes de esta armadura es la coraza de justicia.

¿Qué representa la coraza de justicia?

La coraza de justicia representa un estilo de vida de confiada obediencia a Dios.

Estad, pues, firmes ... vestidos con la coraza de justicia (Efesios 6.14).

La coraza era una parte importante de la indumentaria para la batalla del soldado romano. Una pieza de metal que seguía la forma del torso humano y protegía la parte superior del cuerpo, incluyendo el corazón y los pulmones, de las flechas y lanzas del enemigo.

Usando la analogía entre la armadura literal y la armadura espiritual, podríamos decir que la coraza espiritual —la coraza de justicia— es para nuestra protección. Es una pieza defensiva que nos protege en tres aspectos.

La justicia es la forma que Dios usa para protegernos.

1. La justicia nos protege del perjuicio y el daño y de la ruina violenta ocasionados por el pecado.
2. La justicia nos libra de que nuestras venas y arterias espirituales se endurezcan y estrangulen y sofoquen nuestra vida espiritual más lentamente y con más violencia que los pecados flagrantes, por los cuales nos volvemos sin vida. Evita que nos alejemos de Dios y nos encontremos con una muerte lenta y fría.
3. La justicia nos defiende contra los métodos engañosos de Satanás al darnos capacidad de discernimiento.

La justicia nos arma contra la promiscuidad sexual y como resultado nos protege de adquirir enfermedades venéreas como el SIDA y de otras consecuencias fatales. La justicia nos fortifica contra las drogas y otras adicciones que pueden destruir nuestras mentes y nuestros cuerpos. La justicia nos protege de la deshonestidad que puede llevarnos a la catástrofe económica, social y personal e incluso a la cárcel. La justicia nos protege de las consecuencias del pecado.

Hay un impuesto al pecado que nosotros siempre tendremos que pagar; en el reino espiritual no hay forma de evadir los impuestos. A veces más temprano, a veces más tarde, siempre hay que pagar. La coraza de justicia es la protección divina contra los estragos violentos causados por el pecado.

Dios demanda de nosotros que vivamos rectamente porque Él nos ama y quiere lo mejor para nosotros.

¿Cuáles son las dos dimensiones de la justicia?

La justicia es tanto imputada como impartida.

Justicia imputada

En realidad, la justicia está formada por dos capas. La primera es la justicia que se nos imputa, lo que quiere decir que cuando llegamos a ser cristianos, la justicia de Cristo fue acreditada a nuestra cuenta celestial. En el momento de nuestra salvación, la justicia imputada fue aplicada a nosotros como una coraza. Es un regalo de Dios. Sobre la base de la obra de Cristo a nuestro favor hemos sido hechos justos, habilitados para el cielo, aceptables a Dios. Estamos cubiertos, protegidos con la coraza de justicia.

Como cristianos, Dios nos ha dado poder sobre Satanás y sus huestes. Tenemos a Jesús viviendo en nosotros. Tenemos al Espíritu Santo viviendo en nosotros. La Biblia dice, «Porque mayor es el que está en vosotros, que el que está en el mundo» (1 Juan 4.4).

Así, parte de la guerra espiritual diaria es reconocer que somos hijos de Dios. La justicia de Cristo ha sido imputada a nuestra cuenta. Cuando Satanás nos acusa y nos condena, diciéndonos que no tenemos ninguna posibilidad de tratar de ser cristianos, cuando susurra a nuestros oídos diciéndonos que no somos buenos y trata de sepultarnos en culpa porque no somos perfectos, recuerda que todas son mentiras del padre de las mentiras. No nos ganamos el cielo porque seamos buenos. No llegamos a ser hijos de Dios porque seamos buenos. Llegamos a ser hijos de Dios por haber nacido dentro de su familia espiritual, y ese nacimiento se produjo cuando creímos en Jesucristo y entregamos nuestras vidas a Él.

Estamos en el lado seguro de la caja de cristal. Satanás está en el otro lado, preparándose para atacar. Cristo es el cristal que está en el medio, protegiéndonos. Lo que a nosotros corresponde es confiar en el cristal ... confiar en la coraza de justicia. Satanás no tiene nada con lo que pueda causarnos daño, excepto sus mentiras. Podemos contar con su justicia imputada a nosotros. Esto es de suma importancia en la batalla espiritual diaria.

Justicia impartida

Pero la Biblia también dice, «Vestíos de toda la armadura de Dios, para que podáis estar firmes» (Efesios 6.11). Y, «Resistid al diablo, y huirá de vosotros» (Santiago 4.7). En otras palabras, no se trata de descansar pasivamente en la protección de Dios sino entrar en lucha activa contra el enemigo tanto en la guerra ofensiva como defensiva, lo que quiere decir que necesitamos una segunda capa de justicia protectora. Esta es la justicia impartida; vivir activamente un estilo de vida justo como resultado de la obra de Dios en nuestras vidas.

Aquí, sin embargo, estamos en terreno peligroso. No queremos decir que con el hecho de ser buenos nos estemos ganando el favor de Dios. No podemos. No queremos decir que nuestras posibilidades de ir al cielo aumenten porque seamos buenos. No podemos. No queremos decir que Dios prefiere a algunos de nosotros más que a otros porque seamos mejores personas. Las cosas no son así. Pero debemos decir que cuando llegamos a ser hijos de Dios, Él quiere que vivamos como Él vive.

«Sino, como aquel que os llamó es santo, sed también vosotros santos en toda vuestra manera de vivir; porque escrito está: Sed santos, porque yo soy santo» (1 Pedro 1.15-16). O, como Pablo escribe en Efesios 4.1: «Os ruego que andéis como es digno de la vocación con que fuisteis llamados». Sencillamente parafraseado, eso quiere decir, «Empiecen a vivir como cristianos comprometidos».

¿Cómo nos ponemos la coraza de un vivir diario en justicia?

Nos ponemos la coraza de un vivir diario en justicia cuando obedecemos fielmente a todo lo que entendemos que Cristo nos está pidiendo.

Cuando llegamos a ser cristianos, empezamos a desear hacer lo bueno y evitar hacer lo malo. Es el Espíritu Santo actuando en nosotros. A menudo, al principio este deseo no es más que un embrión, pero que crece a medida que estudiamos la Biblia y somos desafiados por las vidas que viven otros alrededor nuestro. La semilla de la madurez espiritual debe ser regada y cuidada para que eche raíces y a su tiempo produzca frutos.

Con Dios, siempre estamos en deuda. Todos pecamos, y cuando pecamos y lo confesamos, Él es fiel y justo y, a través de nuestro abogado defensor, Jesucristo el justo, nos perdona nuestros pecados y nos limpia de toda injusticia.

Hasta donde la gracia de Dios nos lo permita, vivamos tan justamente como podamos. Y esa justicia impartida nos protegerá de los engaños de Satanás.

Debemos contar con nuestra justicia imputada y vivir diariamente la justicia que Cristo nos imparte. Jugar con el pecado, tolerarlo consciente y voluntariamente en nuestras vidas destruye nuestras defensas y nos hace vulnerables en la guerra espiritual.

¿Cómo nos daña el pecado?

El pecado nos daña al infligirnos dolorosas consecuencias previsibles.

Hace treinta años, el mandato cristiano para muchos creyentes consistía en una lista de noes: No ir al cine, no bailar, no beber, no jugar a las cartas, no usar pelo largo, no escuchar *rock 'n roll*. Algunas de estas prohibiciones tenían sentido mientras que otras eran arbitrarias.

En los círculos cristianos en los que me movía cuando llegué a conocer a Cristo no se decía nada sobre el mal humor pero sí mucho sobre el pelo largo. No podías ir al cine a ver *The Sound of Music* [La novicia rebelde], pero en la televisión de tu casa podías ver lo que se te antojara. La vida cristiana se medía por las actividades que dejabas de hacer más que por la semejanza a Cristo en lo que hacías. Si los pecados fueran fácilmente definibles y visibles, seguramente no los harías. Todo lo que se dijo fue poco.

En los últimos veinte años, esa clase de legalismo ha sido en gran medida descartada excepto en algunos círculos aislados. Pero es posible que con el agua del baño que hemos tirado, se nos haya ido también el bebé. Ahora no queremos que nadie mire por sobre nuestro hombro y nos diga lo que tenemos que hacer. Pero cabe preguntarse si en el nombre de la libertad cristiana no habremos ido demasiado lejos. Y si, en el nombre de la libertad cristiana no habremos abrazado muchos de los valores del mundo al que tratamos de redimir.

La Biblia dice que es vergonzoso aun hablar de los pecados de inmoralidad cometidos por el mundo (Efesios 5.12). Cabe preguntar, entonces, ¿es legalismo exhortar a la gente a no ver tales pecados en la televisión o el cine?

La Biblia dice que tenemos que pensar en cosas que sean verdaderas, honorables, rectas, puras, amables, y de buen nombre (Filipenses 4.8). Entonces, ¿será legalismo animar a las personas a cuidarse de lo impuro, lo desagradable, lo deshonroso?

La Biblia dice que tenemos que hablar únicamente lo que edifique a quienes nos oyen (Efesios 4.29). Entonces, ¿es legalismo instar a la gente a que se guarde de la lengua?

La Biblia dice que el Señor odia el fraude en las actividades comerciales y de negocios y odia también una lengua mentirosa (Proverbios 12.22; 16.11). Entonces, ¿es legalismo exhortar a las personas a ser honestas y éticas en sus lugares de trabajo?

Por qué necesito saber esto

Hoy día, hay una cada vez mayor despreocupación por la justicia. Los cristianos tienden a estar más preocupados por «no sufrir» y sentirse personalmente satisfechos. A menudo siguen formas no escriturales para alcanzar estas dos metas. Sin embargo, Dios está preocupado porque vivamos vidas justas, y está dispuesto a hacer lo que sea en nosotros para guiarnos en tal dirección. Deberíamos preocuparnos por vivir rectamente no solo porque eso agrada a Dios, sino porque no hacerlo significa traer a nuestras vidas dolores innecesarios que se podrían evitar.

No, no es legalismo exhortarnos nosotros y a otros a mantener una conducta recta basada en los principios bíblicos. Dios nos ha dado patrones de conducta recta para protegernos, para que lo glorifiquemos, y para que seamos testigos ante el mundo que nos rodea.

Conclusión

Estamos en una guerra espiritual, y los dos mortales ataques que ha lanzado Satanás contra nosotros han salpicado el campo de batalla alrededor nuestro con la sangre de los caídos.

Primero, Satanás nos ataca en el frente de la pureza doctrinal. Cuando ve que nos puede atacar por ese flanco, manda algunas de sus tropas para que nos acosen, nos rodeen y nos ataquen desde atrás. Cuando esto ocurre, llegamos a sentirnos perdidos en la batalla, no tanto en el frente de la pureza doctrinal como en el frente de la santidad personal.

Hoy día, nos encontramos en una posición única en la historia de la iglesia: Tenemos una generación de cristianos que creen en la ortodoxia aceptada históricamente mientras adoptan estilos de vida que niegan la verdad que dicen abrazar. Sinceramente creen una cosa, pero viven otra. Las tasas de divorcio entre los cristianos es la misma como entre los no cristianos. Los índices de alcoholismo y abuso sexual son parecidos dentro de la iglesia como fuera de ella. El evangelio de «las riquezas y la salud» tiene muchos seguidores, el materialismo está como nunca en su punto más alto mientras que la disciplina personal está como nunca en su punto más bajo. Todo esto y más ha hecho que la iglesia pierda su credibilidad como una fuerza importante en la vida de nuestros pueblos. Para muchos, el cristianismo no tiene mayor atractivo debido a que los cristianos no lo viven en sus vidas diarias.

Si no queremos ser una baja de guerra, debemos ponernos la coraza de justicia. Haríamos mejor si dejáramos de jugar al tira y afloja con la disciplina cristiana y los mandamientos de Cristo. Haríamos mejor dejando de decir: «¿Cómo me puedo escapar de esta?» y empezando a decir: «¿Qué haría Jesús?» Haríamos mejor dejando de protestar contra los «legalismos» y empezando a proclamar «justicia». En la guerra espiritual necesitamos la protección de la coraza de justicia no solo por respeto a Dios y sus mandamientos, sino también por nuestro propio bien. Cualquier cosa que Dios nos pida, Él la pide porque quiere darnos algo mejor y evitar que suframos.

¡Topes de velocidad!

Baja la velocidad para asegurarte que has captado los puntos más importantes de este capítulo.

Pregunta Respuesta

P1. ¿Qué representa la coraza de justicia?

R2. La coraza de justicia representa un *estilo de vida* de obediencia confiada a Dios.

P2. ¿Cuáles son las dos dimensiones de la justicia?

R2. La justicia es tanto *imputada* como *impartida.*

P3. ¿Cómo nos ponemos la coraza de un vivir justo diariamente?

R3. Nos ponemos la coraza de un vivir justo diariamente a través de *obedecer* fielmente a todo lo que entendemos que Cristo está pidiendo de nosotros.

P4. ¿Cómo nos causa daño el pecado?

R4. El pecado nos causa daño por sus *consecuencias* que son dolorosas y predecibles.

Llena los espacios en blanco

Pregunta Respuesta

P1. ¿Qué representa la coraza de justicia?

R1. La coraza de justicia representa un __________ de obediencia confiada a Dios.

P2. ¿Cuáles son las dos dimensiones de la justicia?

R2. La justicia es tanto ______________ como ______________.

P3. ¿Cómo nos ponemos la coraza de un vivir justo diariamente?

R3. Nos ponemos la coraza de un vivir justo diariamente a través de ___________ fielmente a todo lo que entendemos que Cristo está pidiendo de nosotros.

P4. ¿Cómo nos causa daño el pecado?

R4. El pecado nos causa daño por sus ______________ que son dolorosas y predecibles.

Para un análisis más profundo

1. ¿Has visto alguna vez cómo los mandamientos de Dios protegen tu vida? ¿Has sentido el daño sobre tu vida cuando has desobedecido sus mandamientos? Explica.
2. ¿Ves algunas áreas en las cuales, en el nombre de la libertad cristiana, has ido demasiado lejos? Explica.
3. Si Jesús te visitara personalmente hoy día, ¿qué crees que te diría en relación con la rectitud en tu vida?

¿Y si yo no creyera?

1. Vivir una vida recta puede ser muy difícil y puede demandar hacer algunas decisiones que involucren sacrificio. Si yo no creo que sea necesaria una vida recta para agradar a Dios así como autosatisfacer, no creo que vaya a estar dispuesto a hacer las decisiones difíciles necesarias.
2. El pecado siempre tiene consecuencias negativas predecibles. Si no estoy dispuesto a comprometerme a vivir una forma de vida recta, traeré a mi vida dolores evitables e innecesarios. De vez en cuando el costo de la justicia puede ser alto, pero el costo del pecado es siempre más alto.
3. La justicia es dura de aceptar, pero fácil de andar. El pecado es fácil de aceptar, pero muy duro en sus consecuencias. A menos que entienda esto, puede ocurrir que elija el pecado, pensando que es el camino más fácil. Al final, es el más difícil.
4. Si no me comprometo a vivir una vida de rectitud, soy un blanco fácil para el engaño espiritual. Me hago vulnerable a las artimañas del diablo y abro la puerta para su trabajo destructivo en mi vida.

Para un estudio extra

1. La Escritura

Varios pasajes de la Escritura hablan de la importancia de la rectitud:

- Romanos 12.1-2
- 1 Corintios 9.24-27
- Efesios 6.14
- Filipenses 4.8-9
- 1 Pedro 1.15-16

Lee estos pasajes y piensa en cómo ellos pueden ayudar a tu comprensión de la importancia de la rectitud.

Esta es una fe sana, saludable, práctica, que funciona: Es un asunto del hombre hacer la voluntad de Dios; segundo, que Dios mismo se preocupa del cuidado del tal hombre; y tercero, que por lo tanto ese hombre jamás debe tener miedo de nada.
■ **George MacDonald**

5

¿Qué es el calzado del evangelio de la paz?

Saltar por un farallón atado a una cuerda te puede enseñar mucho acerca de ti mismo. A lo menos yo he descubierto que es así. Para ser sincero, la primera vez que salté en realidad no salté, sino que más bien nadé ... en el aire. Enseñaba en una universidad en Phoenix, Arizona y un día se me acercaron varios estudiantes para decirme: «Señor Anders. El sábado vamos a ir a las montañas *Squaw Peak* a saltar por unos farallones. Lo invitamos a que nos acompañe».

No podía decir que no. Por un lado, no quería aparecer como un cobarde. Aparte de eso, como nunca antes había practicado ese deporte, no entendía cuán aterrorizante podía ser. Así es que dije que sí.

Cuando aquel sábado llegamos a la montaña, los muchachos eligieron «un pequeño farallón». Nunca voy a olvidar cuando caminé por primera vez por el borde y miraba hacia abajo. ¡Aquel pequeño risco era apenas del tamaño de un edificio de diez pisos! Amarraron una cuerda de unos cien pies alrededor de una roca que había en la parte superior del farallón. Se amarraron ellos mismos a un arnés y empezaron a bajar el farallón.

Éramos unos doce, y tratando de ser gentil, dejé que los muchachos bajaran primero. Al final quedé solo. Musité algo sobre lo mucho que había tenido que esperar y el poco tiempo de que disponía, pero no funcionó. Antes que me diera cuenta de lo que sucedía, me encontraba metido en un arnés y colgando por la ladera del farallón de una cuerda del grueso de mi dedo índice.

Cuando empezaba a bajar, todos los estudiantes habían vuelto a ascender hasta lo alto del farallón y se agrupaban para observar mi desafortunado descenso.

«Déjese descansar contra la cuerda y descienda caminando sencillamente», me gritaban.

¡Por supuesto!

Yo no confiaba en la cuerda. En cierta ocasión en Indiana habíamos usado para balancearnos en un pajar una cuerda como esta. Aquella podía soportar el peso de un hombre. Esta tal vez sí, tal vez no. Y los pines de seguridad de aluminio que me mantenían firme en mi cinturón y unido a la cuerda, bueno, me parecían más adecuados para soportar un pavo en el Día de Acción de Gracias. La verdad es que no tenía confianza en mi equipo, y eso me aterrorizaba.

Pero ahí estaba. A medio camino de la aventura. Demasiado orgulloso como para volver atrás; demasiado asustado para seguir adelante. Así es que empecé a descender lentamente, agarrándome tan fuertemente a la cuerda que en realidad parecía no necesitar ningún otro equipo. Con la cuerda envolviendo mis piernas, bajaba encorvado en una posición fetal. Reconozco que no era la posición más elegante, pero a lo menos me parecía la más segura.

Antes que pudiera hacer un tercio del trayecto, mis brazos temblaban sin control y casi no me servían para nada. Mis rodilleras estaban peladas de tanto rozar contra la roca. Mis manos y codos me ardían y dolían. Colgaba allí como un pernil en un cuarto de ahumado. Los labios y las mejillas presionados contra el risco, me preguntaba si viviría para ver otro amanecer.

Con una paciencia infinita, el líder del grupo me dijo, «Señor Anders, deje que la cuerda lo sostenga. Afirme su espalda en la cuerda hasta que sus pies entren en contacto con el farallón como si fuera a caminar. Una vez que lo consiga, vaya soltando la cuerda poco a poco y así va a poder caminar por la superficie del farallón».

Finalmente, cuando me convencí que no saldría de allí con vida, hice lo que me decía. Me dejé descansar en la cuerda hasta que mis pies se posaron sobre la superficie del farallón. Luego solté la cuerda y caminé sin esfuerzo alguno por sobre la superficie del farallón.

¡Qué experiencia regocijante! No pude esperar para subir de nuevo a la cumbre e intentarlo de nuevo. Esta vez hice exactamente como me dijeron que hiciera. Me apoyé en la cuerda y caminé por el borde del farallón, retrocediendo. Me alejé de la roca y caí libremente unos quince a veinte pies; luego dejé que mi cuerpo se fuera contra la roca, puse los pies, me di impulso y caí otros quince a veinte pies. En probablemente no más de treinta segundos estaba abajo, libre del arnés y corriendo de nuevo hacia lo alto.

Lo que aprendí aquel día fue que tú tienes que confiar en la cuerda. Tienes que creer que te va a sostener. Si confías en tus propias fuerzas para bajar, eso te va a consumir cada molécula de tu fuerza antes que ni siquiera te acerques al suelo. Pero si dejas que sea la cuerda la que haga el trabajo, te será fácil.

Cuando hablamos de la vida espiritual, también podemos hablar de descender. El farallón es la vida. La cuerda es Dios. Si el descenso tratamos de hacerlo con nuestras propias fuerzas vamos a perder las fuerzas. Pero si nos apoyamos en la cuerda, creyendo que Él nos sostendrá, estaremos dejando que Dios haga el trabajo de Dios, y nosotros haremos el de descender por el farallón.

El apóstol Pablo nos dice que hay un ejército invisible de seres malos que cumplen las órdenes de Satanás y que tratan de impedir que se haga la voluntad de Dios en las vidas de los cristianos. Pablo se refiere a esto como una batalla espiritual, y él dice que hay seis partes de una armadura que necesitamos usar si queremos ser victoriosos. Hasta aquí ya hemos visto lo referente al cinto de la verdad y la coraza de justicia. Ahora vamos a detenernos en el calzado del evangelio de la paz. Como cuando descendemos por un farallón tendremos la paz en la medida que confiemos en la cuerda, así en la vida tendremos paz en la medida que confiemos en las promesas de Dios.

¿Qué representa el calzado del evangelio de la paz?

El calzado del evangelio de la paz representa una confiada seguridad en las promesas de Dios, y el sentido de paz que tal confianza produce.

Y calzados los pies con el apresto del evangelio de la paz (Efesios 6.15).

El soldado romano necesitaba buen calzado. Un soldado que no puede mantener la firmeza es un soldado vulnerable. Josefo, en el sexto volumen de su obra más importante, la *Jewish War* [La guerra judía], describe el calzado de los soldados como «zapatos densamente tachonados con afilados clavos». Así, podían mantener el paso incluso en las peores condiciones. Los éxitos militares de Alejandro el Grande y Julio Cesar se debieron en mucho a la habilidad de sus ejércitos para soportar largas marchas a velocidades increíbles sobre terreno escabroso. No habrían podido hacer esto si no hubieran estado adecuadamente calzados. Lo mismo ocurre en la batalla espiritual. Debemos mantener el paso, sin importar cuán traicionero sea el terreno.

Cuando investigamos lo que es el evangelio de la paz, es útil empezar diciendo lo que no es. Probablemente no sea el mensaje del evangelio de salvación por gracia mediante la fe en Cristo. Aquí en Efesios, el contexto se refiere a cosas que hacemos diariamente en la guerra espiritual. No nos hacemos cristianos cada día que amanece. Eso ocurre una sola vez. Además, no hay mucha evidencia escritural que sugiera que compartir el evangelio de salvación traiga paz al que lo comparte.

Para mantenerse firme se requiere de un calzado apropiado

A lo que se refiere, según creo, es a la paz de Dios; la paz de Dios es nuestra paz cuando creemos las promesas de Dios y actuamos de acuerdo con esa convicción. Esta es la paz que sugiere Efesios 2.14, donde se dice que Jesús mismo es nuestra paz. Esto está reforzado en Juan 14.27, donde leemos las propias palabras de Jesús, quien dice: «La paz os dejo, mi paz os doy; yo no os la doy como el mundo la da. No se turbe vuestro corazón, ni tenga miedo».

Esta paz es central para pelear efectivamente en la guerra espiritual. De modo que aquí la verdad podría parafrasearse diciendo: *la paz de Dios en tu corazón, que viene al descansar en sus promesas, te ayuda a estar firme en la batalla espiritual.*

Cuando creemos lo que Dios dice y confiamos en Él, entonces tenemos la paz personal, la paz interior que nos capacita para mantenernos firmes en la batalla espiritual diaria. Si no creemos las promesas de Dios, nos vamos a agitar, a debilitar, a confundir; y cuando tal cosa ocurre, es como perder la firmeza, como cuando el suelo nos empieza a fallar y finalmente somos derrotados en la lucha contra Satanás.

¿Cómo nos dan paz las promesas de Dios?

Las promesas de Dios nos dan paz al dar respuesta a nuestros más grandes temores.

A modo de ejemplos, vamos a mirar a tres de las promesas más importantes de Dios y veremos cómo ellas nos dan la paz interior que necesitamos para estar firmes.

1. La promesa de Dios es darnos vida eterna

Porque de tal manera amó Dios al mundo, que ha dado a su Hijo unigénito, para que todo aquel que en Él cree, no se pierda, mas tenga vida eterna (Juan 3.16).

Todos, en un momento o en otro, pensamos en la muerte, y todos, en un momento o en otro, tenemos miedo de morir.

Pogo, un personaje de caricatura que gusta de filosofar y que vive en *Okefenokee Swamp*, dijo en cierta ocasión: «Odio la muerte. De hecho, podría vivir para siempre sin ella». El director de cine Woody Allen dice: «No es que yo tenga miedo de morir, solo que no quiero estar allí cuando ocurra». Y el niño de cortos años, dice: «Querido Dios, ¿qué pasa cuando uno muere. Nadie me lo va a decir. Solo quiero *saber.* Yo no quiero *hacerlo*».

En este capítulo aprendemos que:

1. El calzado del evangelio de la paz representa una confiada seguridad en las promesas de Dios y el sentido de paz que tal confianza trae.
2. Las promesas de Dios nos dan paz al responder a nuestros más grandes temores.
3. Las promesas de Dios alivianan nuestra carga ayudándonos a despojarnos de aquellas que Dios nunca quiso que lleváramos.

En realidad, por lo general los más jóvenes y los más viejos tienden a pensar en la muerte. Y todos los que están entre esos dos extremos piensan en la muerte cuando están muy enfermos o cuando alguien muere o tiene un accidente serio. Para la mayor parte de la gente, la muerte es un remolino, un hueco negro que se abre al final de la polea de transportación de la vida. La gente se mueve por la polea de transportación, y cuando llegan al final, la misma polea los lanza dentro del hueco negro. La muerte es una gran desconocida.

¿Qué ocurre entonces? Esta es, por supuesto, la pregunta más grande que cualquiera se puede hacer. Es la pregunta en torno a la cual se ha creado mucho de la literatura y el arte.

¿Hay un Dios? ¿Hay vida más allá de la muerte? ¿Hay un cielo? ¿Hay un infierno? Si los hubiera, ¿adónde ir? ¿Es seguro morir? ¿Existe la posibilidad de un tormento eterno? ¿Cómo podemos escapar de ese tormento eterno? ¿Cómo puedo estar seguro?

Algunos han descrito a la muerte de esta manera:

> Como una gallina ante una cobra, nos encontramos con que somos incapaces de hacer nada ante la presencia de aquello que parece ser la acción más drástica y decisiva. Los pensamientos perturbadores que son como si nos miraran con un rostro en el que se dibujara una sonrisa de hielo es que, en realidad, no hay nada que podamos hacer. Digamos lo que digamos, brinquemos como brinquemos,

pronto no seremos más que un montón de plumas y huesos.

Funerario o comediante, abogado o instalador de tuberías, almirante o ama de casa, mecánico o estrella de cine, vaquero o congresista, déjalos un momento en quietud cuando hablen sincera y abiertamente contigo, y la única cosa a la que casi todos le temem más es a la muerte. Es la gran enemiga. La gran desconocida.

Frente a la realidad, la gran promesa de Jesús es vida. «Yo soy la resurrección y la vida», dice Él. «El que cree en mí, aunque esté muerto, vivirá. Y todo aquel que vive y cree en mí, no morirá eternamente» (Juan 11.25-26). Si creemos en Jesús, morir es algo seguro. Ya no tenemos que seguirle teniendo miedo a la gran desconocida. Podemos descansar en su promesa y tener paz frente al más grande enemigo de la vida, la muerte.

2. La promesa de Dios es guiarnos en la vida diaria

Fíate de Jehová de todo tu corazón, y no te apoyes en tu propia prudencia. Reconócelo en todos tus caminos, y él enderezará tus veredas (Proverbios 3.5-6).

No tenemos que saber qué camino seguir a través de la vida. Todo lo que necesitamos hacer es mantener nuestra mano en la mano de aquel que sí lo sabe. No tenemos que andar dando tropezones, o chocar en la oscuridad, o caminar por un farallón a ciegas. La verdad de las Escrituras nos dará luz y vista y evitará que nos extraviemos del camino seguro.

Hay un viejo adagio que *dice:* «Para ser libres y poder navegar los siete mares, tenemos que hacernos esclavos de la brújula». Cuando llegamos a ser esclavos de Cristo, nos liberamos para navegar los siete mares de la vida. No tenemos que seguir anclados a la ignorancia o a los deseos impropios o a las mentiras. No hay esclavitud en comprometerse con Cristo, solo libertad.

Cuando nos decidimos a seguir todo lo que entendemos de Dios en las Escrituras, tenemos paz, en saber que estamos haciendo lo correcto con nuestra vida, paz en reconocer que Dios se complace con nosotros, paz al darnos cuenta que somos libres de la esclavitud a las cosas que nos causan daño. La voluntad de Dios es buena.

3. La promesa de Dios es darnos paz en medio del dolor

Y sabemos que a los que aman a Dios, todas las cosas les ayudan a bien; esto es, a los que conforme a su propósito son llamados (Romanos 8.28).

Tarde o temprano, la vida nos dará a cada uno un puñetazo en el estómago. Y mientras estemos retorciéndonos del dolor que se extiende por todo el cuerpo, y las rodillas se nos doblen y la boca se nos abra en busca de aire, nos preguntaremos: «¿Por qué? ¿Por qué *esto* tenía que ocurrirme a mí? ¿Por qué *a mí*? ¿Qué sentido tiene esto? ¿Qué de bueno puede resultar de todo esto?»

Hay muchas cosas que nos causan dolor, pero una gran cantidad de ellas las provocamos nosotros mismos. ¿Por qué? Porque hacemos cosas que la Biblia nos dice que no hagamos. Y entonces, al hacerlas, tenemos que cosechar lo que hemos sembrado.

Quizás en el pasado, un acto estúpido tuyo dio como resultado más dolor que el que pudiste haber pensado que sufrirías como consecuencia de ese pecado. Pero Dios puede cambiar aquello en algo bueno al hacerte más fuerte, más perspicaz, más sensitivo, y más sabio. Él puede cambiar tus congojas en algo bueno al usarte en las vidas de otros compartiendo con ellos la sabiduría que has aprendido y ayudarles a no cometer los mismos errores. Dios puede transformar tu vida en un glorioso tributo a su gracia, no importa lo que hayas hecho. Él puede sacar cosas buenas de cualquier dolor.***

A veces experimentamos dolor cuando Dios nos da de nalgadas. Esta clase de dolor duele tanto como cualquier otro dolor, pero también de esto Dios es capaz de traer bien. Hebreos 12.7, 11, dice: «Dios os trata como a hijos; porque ¿qué hijo es aquel a quien el padre no disciplina? Es verdad que ninguna disciplina al presente parece ser causa de gozo, sino de tristeza; pero después da fruto apacible de justicia a los que en ella han sido ejercitados».

> *Por qué necesito saber esto*
>
> La paz es uno de los grandes vacíos en las vidas de mucha gente. Desde las grandes amenazas de terrorismo social y político, guerras, SIDA, y declinación de la cultura de nuestros pueblos, hasta los miedos personales a la muerte, a la bancarrota financiera, a la pérdida de la salud, a la soledad, a la falta de propósito y sentido en la vida, algo en la vida de cada persona amenaza con robarle la paz. El mundo no tiene cómo darnos paz. Pero Jesús promete darnos la paz que tanto anhelamos si es que le obedecemos y obedecemos su Palabra.

Quizás empezaste a beber y antes de darte cuenta, ya eras un adicto al alcohol. Como cristiano, tú sabías que eso estaba mal. Sabías que estabas en problemas pero eras demasiado orgulloso para pedir ayuda o arrepentirte. Al tratar de luchar solo, perdiste la batalla. Pronto dejaste de intentar caminar con Dios porque te convenciste que Él estaba decepcionado de ti. Perdiste tus amigos, tu trabajo e incluso tu familia. Tocaste fondo.

Entonces, allí en el fondo, «encontraste» de nuevo a Dios. (En realidad, Él estaba allí todo el tiempo, esperando.) Te arrepentiste. Seguiste sus instrucciones y conseguiste la ayuda que necesitabas.

Los años han pasado y tú sigues sobrio. Dios te disciplinó. Te dolió. Pero a través del dolor, Dios trajo de nuevo a tu vida rectitud, fuerzas, estabilidad y paz. Y eso es bueno.

Entonces, por supuesto, está el dolor que nadie puede explicar. La aflicción por un hijo descarriado, la agonía de la enfermedad, la carga de una incapacidad física. Pero todos los que han pasado por estas experiencias pueden testificar que a menudo cuando el dolor es más grande, Jesús está más cerca. Ellos podrán decirte que cuando reflexionan en la obra que Dios hizo en sus vidas, dieron valor al sufrimiento.

A veces una persona no logra tener esta perspectiva y gratitud sino hasta más tarde. En otras ocasiones, en medio de lo peor de la turbación, el compañerismo con Dios es más estrecho y más dulce. Pero siempre, Dios puede dar paz para enfrentar el dolor.

¿Cómo las promesas de Dios alivianan nuestra carga?

Las promesas de Dios alivianan nuestra carga ayudándonos a despojarnos de aquellas que Dios nunca quiso que lleváramos.

A menudo cuando la vida se hace demasiado pesada y amenaza con destruirnos es porque estamos tratando de llevar sobre nosotros una carga que Jesús nunca quiso que lleváramos. La carga de tratar de controlar a la gente, las posesiones, las circunstancias para que la vida sea como nosotros queremos que sea es demasiado pesada. No podemos controlar tanto. Si confiamos en Él para que nos guíe, podemos tener paz en medio de las incertidumbres de la vida.

La carga de tratar de competir con el dolor es a menudo más grande de lo que podemos manejar. Si confiamos en el Señor para que lleve la carga y nos dé la gracia para enfrentarla cuando se presente, momento tras momento, podemos tener paz en medio del dolor y más tarde belleza en lugar de cenizas.

Muchos de nosotros tenemos que ser llevados hasta el final de nuestros propios recursos espirituales, emocionales y de fuerza antes que aprendamos a descansar en Jesús, creamos en sus promesas, y confiemos en ellas. Cuando ocurre esto, Él nos da la paz que pone nuestros pies sobre terreno seguro y nos capacita para permanecer firmes en la batalla espiritual.

Cuando nos ponemos el calzado del evangelio de la paz, estamos diciendo: «Yo creo las promesas de Dios y contamos conque ellas son verdad para mí. Y cuando lo hago, puedo tener su paz en mi vida».

Conclusión

Estudiantes de la Biblia discrepan sobre lo que Pablo quiso decir cuando dijo: «Y calzados los pies con el apresto del evangelio de la paz». Esta confusión surge primero de un pasaje en Romanos 10.15 donde Pablo cita Isaías 52.7:

> ¡Cuán hermosos son sobre los montes los pies del que trae alegres nuevas, del que anuncia la paz, del que trae nuevas del bien, del que publica salvación, del que dice a Sion: Tu Dios reina!

Debido a la similitud de este pasaje con el que dice: «Y calzados los pies con el apresto del evangelio de la paz», ha habido quienes han tomado el pasaje de Efesios como que quiere decir que deberíamos estar «siempre listos para compartir nuestra fe con otros» como parte de nuestra armadura espiritual. John R.W. Stott comenta que «tal ansiosa preparación tiene una influencia muy estabilizadora en nuestras vidas, tanto [guiándonos a nuestra propia salvación] como al presentar a otros al evangelio liberador» (*God's New Society*, Nueva sociedad de Dios, p. 280).

Otros, sin embargo, no están tan convencidos. Entre estos últimos está John MacArthur:

> Debido a que Pablo cita Isaías 52.7 en el contexto de la predicación del evangelio (Romanos 10.15) muchos comentaristas también interpretan Efesios 6.15 como una referencia a la predicación. Pero en el pasaje de Efesios, Pablo no está hablando de predicación o de enseñanza sino de pelear las batallas espirituales. Su sujeto no es la evangelización de los perdidos, sino la pelea contra el diablo. En este pasaje, el evangelio de la paz se refiere a las buenas noticias que los creyentes están en paz con Dios (*Efesios* 2.17).

Ambas posiciones son posiciones respetables, y uno no

debería cometer el error de inclinarse por una o por otra. Ambas posiciones (que deberíamos abrazar todas las promesas de Dios, y que deberíamos estar siempre listos para compartir el evangelio con los incrédulos) son verdades y tienen el respaldo de otros pasajes de las Escrituras. Sea la que sea la posición que tú crees que se ajusta mejor a Efesios 6.15 puesto que tú también aceptas la verdad escritural de la otra posición, esa pieza de tu armadura estará firme en su lugar.

¡Topes de velocidad!

Baja la velocidad para asegurarte que has captado los puntos más importantes de este capítulo.

Pregunta Respuesta

P1. ¿Qué representa el calzado del evangelio de la paz?

R1. El calzado del evangelio de la paz representa una confiada seguridad en las *promesas* de Dios, y el sentimiento de paz que tal confianza produce.

P2. ¿Cómo promete Dios darnos paz?

R2. Dios promete darnos paz al responder a nuestros más grandes *temores*.

P3. ¿Cómo promete Dios aliviarnos la carga?

R3. Dios promete aliviarnos la carga al ayudarnos a eliminar *cargas* que Dios nunca quiso que cargáramos.

Llena los espacios en blanco

Pregunta Respuesta

P1. ¿Qué representa el calzado del evangelio de la paz?

R1. El calzado del evangelio de la paz representa una confiada seguridad en las __________ de Dios, y el sentimiento de paz que tal confianza produce.

P2. ¿Cómo promete Dios darnos paz?

R2. Dios promete darnos paz al responder a nuestros más grandes ________________.

P3. ¿Cómo promete Dios aliviarnos la carga?

R3. Dios promete aliviarnos la carga al ayudarnos a eliminar __________ que Dios nunca quiso que cargáramos.

Para un análisis más profundo

1. ¿A qué le tienes tú más miedo en cuanto a confiar totalmente en Cristo? ¿Qué crees que necesitarías hacer para confiar totalmente en Él en esa área?
2. ¿Crees que es «seguro» confiar en Cristo y obedecerlo, o desconfiar de Él y desobedecerle y tratar de controlar por ti mismo tus circunstancias? Esta es una pregunta especialmente difícil de contestar si crees que Jesús pudiera estar pidiéndote que hagas algo pero que tú no quieres hacer.
3. ¿En cuál de las tres promesas en este capítulo es más difícil para ti confiar? ¿Cuál es más fácil? Explica por qué.

¿Y si yo no creyera?

1. Si yo no creo y descanso en las promesas de Dios, mi vida está propensa a ser un flujo constante de ansiedad y angustia.

2. Si yo no acepto la necesidad de confiar en el carácter de Dios, estaré siendo tentado constantemente a dudar de su bondad o de su amor hacia mí.

3. Si soy atacado por una falta de paz y aplastado por el constante peso de las cargas que Dios nunca quiso que llevara sobre mí, me transformo en un blanco seguro del engaño de Satanás.

Para un estudio extra

1. Las Escrituras

Varios pasajes de las Escrituras hablan de la paz que se origina como resultado de confiar en las promesas de Dios:

- Mateo 11.28-30
- Juan 14.27
- Efesios 6.15
- Filipenses 4.7
- 2 Tesalonicenses 3.16

Lee estos pasajes y considera cómo ellos te ayudan a que entiendas mejor la importancia de confiar en las promesas de Dios.

Quien no controla sus pensamientos pronto no podrá controlar sus acciones
■ **Woodrow Wilson**

6

¿Qué es el escudo de la fe?

En *Beyond Survival*, el piloto Gerald Coffee cuenta de lo que significó para él sentirse un prisionero de guerra en Vietnam del Norte. El 3 de febrero de 1966 amaneció radiante. El navegante Bob Benson y el piloto Gerald Coffee atravesaron a paso firme la pista del portaviones *USS Kitty Hawk* y se dirigieron a su poderoso jet a retroimpulso para despegar. Su avión de reconocimiento de treinta toneladas rugió y en menos de tres segundos, alcanzó la velocidad de ciento setenta millas por horas. Coffee se elevó teniendo allá abajo el espejo de agua profundamente azul del Golfo de Tonkin.

Coffee y Hanson se dirigían por segunda vez hacia Vietnam del Norte. Sus nervios estaban tensos. Todo estaba saliendo con la precisión de un cronómetro. Coffee puso en la mirilla el puente que era su blanco y empezó a tomar las fotos de reconocimiento que necesitaba tomar. Mientras tanto, zigzagueaba por el cielo para evitar los disparos enemigos que subían desde tierra como rosarios.

De pronto, fueron alcanzados. Y en un segundo, el inmenso aparato que conducían se les hizo lerdo e inmanejable. Como una cosa viva que empieza a morir, el avión se inclinó hacia la izquierda y puso la nariz hacia abajo. Rodaba, cual una bomba, hacia su tumba de brillante color azul, allá abajo.

«¡Salta, Bob! ¡Salta! ¡Salta!», gritó Coffee.

«Más que verlos percibí lo que estaba a mi alrededor». Me encontraba en un establo. Un búfalo de agua me miraba a unos cuantos pasos mientras las gallinas picoteaban a sus pies. Me impresionó la escena: la serenidad de los animales, el suave olor al opio me sugería que por ahí había alguien que lo fumaba, la mezcla de olores, y finalmente lo incongruente de mi propia presencia. Ahí estaba yo, a los treinta y un años de edad, un prisionero de guerra entre gente a la que habíamos estado bombardeando y ametrallando». Dios, te voy a necesitar como nunca antes. Por favor, no me dejes solo».

Historias similares se repetían con frecuencia durante el conflicto del sudeste asiático. Con el correr de los años, los observadores han notado un patrón muy interesante. De todos los hombres que sobrevivieron los horrores de la cautividad en Vietnam, los que se recuperaron totalmente tenían a lo menos dos cosas en común: La habilidad de desarrollar un mundo interior en el cual seguir viviendo y a través de su prueba se aferraron a la verdad con la porfía de un perro de presa.

Un prisionero de guerra era un pianista. Para ayudarse a pasar el tiempo, tocaba en su mente concierto tras concierto. Otro era arquitecto y en su mente diseñaba casas, edificios e inclusos ciudades enteras mientras duró su largo cautiverio. Otro era un fanático del golf. En su mente, jugaba al golf cada día siguiendo las clases de golf que recordaba. Curiosamente, cuando volvió a Estados Unidos y hubo recuperado su salud, descubrió que ahora era mejor jugador que antes de ir a Vietnam. Estos prisioneros de guerra construyeron juegos mentales y mundos interiores que les ayudaron a hacer frente tanto a los horrores del cautiverio como al aburrimiento.

En este capítulo aprendemos que:

1. El escudo de la fe representa una vida de protección basada en nuestra fe en el carácter, palabra y obras de Dios.
2. Fe es creer lo que Dios ha dicho y comprometernos con su Palabra.
3. La Biblia no nos dice específicamente qué son los dardos de fuego de Satanás, aunque pueden ser cualquier cosa que haga que dudemos y desobedezcamos la verdad.
4. Usamos el escudo de la fe cuando nos comprometemos a vivir según la verdad de la Palabra de Dios en lugar de según las mentiras de Satanás.

Los procedimientos usados por los vietnamitas con sus prisioneros eran tratar de «quebrarlos» mentalmente. Para lograr eso, inundaban las celdas de los prisioneros durante horas con trasmisiones de radio, altavoces e interrogatorios. Les decían que el gobierno de los Estados Unidos era un gobierno de monstruos ... que las autoridades militares estadounidenses ya los habían olvidado ... que sus nombres estaban en las listas de los muertos en acción y que nada se había hecho para conseguir su liberación ... que sus familias habían dejado de preocuparse de ellos ... que sus familias no estaban dispuestas a esperar que fueran liberados ... que sus esposas ya se habían divorciado de ellos y vuelto a contraer matrimonio.

Los prisioneros capaces de resistir este tipo de lavado de cerebro eran aquellos que cogían estas mentiras en el aire, las arrojaban contra el piso y no permitían que entraran en sus mentes. Recordaban la verdad, se forzaban a adherirse a ella, y contestaban cada mentira con una correspondiente verdad.

No, no se han olvidado de mí ... no, no me han dado por muerto ... van a venir y me liberarán ... no, eso no es verdad. Es un truco propagandístico ... mi esposa no se ha vuelto a casar. Ella me sigue amando y me va a esperar hasta que yo sea liberado.

Al concentrarse en su mundo interior y forzarse tenazmente a ser fieles a la verdad, estos hombres pudieron no solo sobrevivir a tan brutal cautiverio sino que también, después de ser liberados, dejar la guerra detrás de ellos, rehacer sus vidas y volver a ser miembros productivos y felices de la sociedad. Su batalla no fue solo física; fue una batalla de la mente y el espíritu.

En la guerra espiritual, cada creyente enfrenta exactamente la misma cosa. No vivimos únicamente en el reino físico. Estamos rodeados de fuerzas de oscuridad propuestas a hacer lo que sea para impedir que Dios haga su voluntad en nuestras vidas. Siguiendo con la ilustración de Pablo del soldado romano, veamos la siguiente pieza de la armadura de Dios, el escudo de la fe.

¿Qué representa el escudo de la fe?

El escudo de la fe representa una vida de protección basada en nuestra fe en el carácter, palabra y obras de Dios.

Tomad el escudo de la fe, con que podáis apagar todos los dardos de fuego del maligno (Efesios 6.16).

A veces, los soldados romanos usaban un escudo pequeño y redondo, pero la palabra griega traducida aquí describe un escudo lo suficientemente grande como para que detrás de él pudieran protegerse varios soldados a la vez contra las flechas lanzadas por los arqueros enemigos. La superficie de estos grandes escudos era o de metal o de madera recubierta con cuero que también repelía las flechas de fuego. A estas flechas de fuego se les colocaba en la punta material inflamable que se encendía cuando eran lanzadas contra el enemigo. Su efecto era, entonces, doblemente letal.

En la guerra espiritual el enemigo de nuestras almas lanza sus misiles mortales contra nosotros y es la fe la que nos protege. La fe es nuestro escudo.

¿Qué es la fe?

Fe es creer lo que Dios ha dicho y comprometernos con su Palabra.

La definición que el mundo hace de fe es *creer a pesar del hecho que no hay nada que creer.* Pero esa no es la definición bíblica de fe.

Fe es creer lo que Dios ha dicho. Por ejemplo, Dios ha dicho que Él nunca nos dejará o nos abandonará. Él ha dicho que se preocupará por todas nuestras necesidades. Así, cada vez que estamos creyendo lo que Dios ha dicho, estamos ejerciendo fe.

Pero la fe va más allá de simplemente creer. En realidad, fe no es fe mientras no ejerza un compromiso.

¿Crees en Jesús? Esa es una creencia intelectual, y no es suficiente. Eso es creer *acerca* de Jesús. Tú debes creer *en* Jesús.

Solo cuando hayas comprometido tu vida a Él y a la verdad que Él enseñó estarás creyendo *en* Él. Esa es fe.

El escudo de la fe significa que cuando creemos lo que Dios ha dicho y nos comprometemos a eso que Dios ha dicho estamos protegidos por la verdad de las Escrituras y el poder de Dios.

¿Cuáles son los dardos de fuego?

La Biblia no nos dice específicamente lo que son los dardos de fuego de Satanás, pero pueden ser cualquier cosa que nos haga dudar o desobedecer la verdad.

La mayoría de los comentaristas dicen que los dardos de fuego son el desaliento, las dudas, el miedo, el odio, el deseo, la lujuria y posiblemente la dilación y la negligencia. Con el escudo de la fe podemos extinguir estas flechas de fuego del maligno. Así es que si nos encontramos en el medio de algo que no podemos extinguir, probablemente no sea un dardo de fuego del maligno.

Por ejemplo, muchos cristianos murieron durante la persecución de los judíos en la Alemania nazi. Esa persecución fue descrita como dardos de fuego. Aunque se ejerció inmensa fe en medio de la persecución, la persecución no se extinguió. Se prolongó por varios años. Por lo tanto, pienso que aquella persecución no fue, en sí misma, un dardo de fuego.

Sin embargo, en medio de esa persecución, Satanás pudo haber lanzado dardos de fuego de dudas y de desaliento y de pensamientos de amargura contra Dios. Esos son los dardos que Satanás disfruta arrojando contra los creyentes que están en medio de sufrimientos tan extremos. Y esa es la clase de dardos de fuego inspirados por el maligno que pueden extinguir y hacer naufragar la fe: la duda, el desaliento, la amargura, el odio.

¿Cómo hay que usar el escudo de la fe?

Usamos el escudo de la fe cuando nos comprometemos a vivir según la verdad de la Palabra de Dios en lugar de según las mentiras de Satanás.

Las flechas de fuego son pensamientos y sentimientos que Satanás proyecta en nuestras mentes para hacernos dudar de lo que Dios ha dicho. A menudo, Satanás o sus emisarios arrojan sus dardos de tal manera que cuando entran en nuestra mente, terminamos diciendo: «Yo creo que» o «Yo siento que».

Usa, entonces, la fe como un escudo, llamando a la mentira mentira y adhiriéndote firmemente a la verdad. Miremos algunos ejemplos.

Desaliento

Has estado casado por cinco años y las cosas no están saliendo como esperabas. Satanás viene y te dice: «La verdad es que estoy desanimado. Mi matrimonio no está resultando todo lo grato que yo creía que sería. Quizás me casé con la persona equivocada. Quizás Dios quería que me casara con otra persona. Las cosas irían mejor si me hubiera casado con otra u otro».

El escudo de la fe dice: «No. Eso es una mentira. Yo oré pidiendo que Dios me guiara antes de casarme. No estaba viviendo en ningún pecado conocido, de modo que acepto que fue la voluntad de Dios que me casara con la persona con quien me casé. Prometí mantenerme en fidelidad, y Dios espera que yo cumpla mis votos. Él me dará fuerzas para hacer su voluntad. Si soy sincero, tendré que reconocer que muchos de los problemas en mi matrimonio son ocasionados por mí, por lo cual debo manejar mejor mis relaciones. Si confío en Dios y lo obedezco, Él usará este tiempo de prueba para fortalecer mi madurez espiritual». Ese es el escudo de la fe. Agarrar en el aire las mentiras de Satanás, mandarlas lejos y seguir aferrados a la verdad.

Tentación

Estás viajando por cuenta de la compañía y tienes un

monto de gastos de ciento cincuenta dólares por día por concepto de comida y alojamiento. Encuentras una buena rebaja en un hotel y comes en el avión de modo que hoy gastaste solamente cien dólares. Cuando le pides un recibo al taxista, te entrega un recibo en blanco para que tú mismo le pongas la cantidad. Cuando pides un recibo en la comida, el mozo hace lo mismo. «Llénelo usted». Es el fin del día. Estás en tu cuarto revisando tus cuentas y viendo que podrás guardarte cincuenta dólares que ahorraste por aquí y por allá con el sistema descrito.

Satanás te tiene pensando: «*Vamos, hombre, por el amor del cielo. Son apenas cincuenta dólares. Con eso, la compañía no se va a hacer más rica ni más pobre. Además, todos lo hacen, incluyendo al presidente de la compañía. Si es así, ¿por qué no lo puedo hacer yo? Nadie lo va a saber, y en una operación de cien millones de dólares, cincuenta pesos no van a afectar a nadie*».

El escudo de la fe dice: «¡No! La Biblia dice que no debo robar. Dios odia la deshonestidad y la falsedad. La Biblia dice que la persona que encubre su pecado, no prosperará. La Biblia dice que Dios suplirá todas mis necesidades en Cristo Jesús. Yo no me voy a quedar con esos cincuenta dólares».

Así opera el escudo de la fe. Agarra las mentiras del diablo al vuelo, las manda lejos y dice la verdad.

Inmoralidad

Has estado viajando todo el día. Te registras en un hotel, comes algo en la cafetería y ya en tu cuarto, te dispones a relajarte un rato antes de irte a dormir. Enciendes el televisor y empiezas a recorrer los canales. NBC, CBS, ABC, Playboy. ¿Y esto? ¿El canal de Playboy? No instrucciones de pagar para ver, lo que significa que es gratuito. Ahí está, como ABC y el resto.

Satanás empieza a musitar a tu oído: *Ahí las tienes. Dos horas de lujuria gratis. Vamos, adelante. La puerta está cerrada. Las cortinas están corridas. Nadie se va a dar cuenta. Después de todo yo soy un hombre saludable por cuyas venas corre sangre caliente. Todos, desde los congresistas hasta los ejecutivos e incluso algunos predicadores ven esta basura. Siempre he tenido curiosidad por ver lo que este canal ofrece. Echaré una mirada a ver cómo es. Por lo demás, nadie lo va a saber. Y un par de horas de diversión no me van a causar daño. Apenas creo que voy a mirar una película.*

El escudo de la fe replica: «Ese es pecado contra Dios. Es un pecado contra mi esposa. Si cedo ahora, la próxima vez será mucho más fácil hasta que puede llegar a transformarse en una adicción. Inhibirá mis relaciones con mi esposa. La Biblia dice: "Sed santos porque yo soy santo". La Biblia dice que debo amar a mi esposa como Cristo amó a la Iglesia. La Biblia dice: "Todo lo que el hombre sembrare, eso también segará". Estoy a punto de sembrar infidelidad, deshonestidad y lujuria. ¿Podrá salir algo bueno de eso? Además, no me sentiré satisfecho. Solo creará más deseo, y yo no puedo sastisfacer ese deseo sino que me sumiré más y más hondo hasta que al fin me transformaré en un adicto y la adicción me destruirá».

Ese es el escudo de la fe. Agarra al vuelo las mentiras de Satanás, las arroja lejos y dice la verdad.

Dudas

La vida es algo que no tiene patas ni cabeza. Todo es tan sucio. Después de un tormentoso juicio y un breve matrimonio, tu esposo se divorció de ti. Ahora él anda por ahí a la conquista de todas las mujeres que se le pongan por delante. Tú trabajas en dos lugares con baja paga, apenas para sobrevivir. Al terminar el día te sientes tan cansada que no hay forma de hacer vida social. Te estás poniendo vieja antes de tiempo. Te gustaría volverte a casar, pero ninguno de los hombres que te interesan se fijan en ti.

Satanás te tiene revolcándote en la autocompasión, *Dios no me ama. En mi vida, algo está funcionando mal. Si Dios realmente me amara, no me trataría de esta manera. ¿Qué he hecho yo para merecer esto? La vida no es justa. El cristianismo no sirve para nada. La religión es algo para bobos, y yo he sido una boba por demasiado tiempo. Mi ex marido anda por ahí, libre, sin preocupaciones, disfrutando lo bueno de la vida. ¿Por qué no puedo yo hacer lo mismo? Si no me preocupo por mí, nadie lo va a hacer.*

El escudo de la fe dice: «¡No! Eso es mentira. Es cierto que mi vida no ha sido un lecho de rosas, pero mucho de mis problemas me los he causado yo misma. Yo sabía que no debía de haberme casado con Jim. Yo sabía que él no era un cristiano comprometido. Además, yo tampoco fui la esposa perfecta. Y desde el divorcio no me he relacionado con ninguna iglesia donde habría podido tener algún tipo de amistad espiritual y seria con gente piadosa. No me he preocupado por hacer lo que la Biblia dice. No es que Dios me odie. Él me ama y ha enviado personas para que me ayuden —como mis padres— pero yo no los escuché. Estoy pagando las consecuencias por mi elección errada. Pero puedo empezar a andar un camino diferente. Puedo empezar por comprometer mi vida totalmente a Cristo. Cuando haga tal cosa, Dios traerá su verdad y su pueblo y sus bendiciones a mi vida y me ayudará a superar esta situación».

Conclusión

Ese es el escudo de la fe. Agarra en pleno vuelo las mentiras de Satanás, las tira lejos y dice la verdad. Cualquiera cosa que seamos tentados a hacer menos que el compromiso total a Cristo es una mentira. Es el lavado de cerebro espiritual de Satanás. Él quiere engañarnos para luego destruirnos. Lo que nos ofrece, nunca nos sastisfará ni nos dará la paz que tanto anhelamos; solo nos hará desear el siguiente nivel de descenso que tiene para ofrecer. Entonces, cuando eso no nos satisfaga —lo que nunca podrá hacer— nos hunde aun más todavía. Y así nos lleva hacia abajo, hasta que finalmente nos hace adictos y nos destruye.

Cuando nos enfrentemos a Satanás con sus mentiras, debemos decirle: «No. Eso es una mentira y no te voy a creer. Estoy cansado de tus insinuaciones, mentiras y promesas de mejores cosas si te hago caso. Voy a hacer lo que sé que es correcto. Me refugiaré en la verdad y ahora y por el resto de mi vida haré lo que es correcto».

Cuando haces eso, te pones bajo la sombrilla de la protección y guía de Dios. Y aun cuando te tome tiempo ordenar todo ese lío que tienes dentro de ti, Dios enderezará tu vida y hará que de ella salga algo hermoso.

No aspires a menos que a creer en Dios y hacer lo que Él dice. Tú vales demasiado como para desperdiciar tu vida en algo que no sea Él.

Cuando tomamos el escudo de la fe, estamos diciendo: «Cuando empiece a sentir dudas, como que estoy pecando o cediendo, rechazaré esos pensamientos y sentimientos porque creo profundamente en la verdad de Dios».

¡Topes de velocidad!

Baja la velocidad para asegurarte que has captado los puntos principales de este capítulo.

Pregunta Respuesta

P1. ¿Qué representa el escudo de la fe?

R1. El escudo de la fe representa una vida de protección basada en nuestra *fe* en el carácter, palabra y obras de Dios.

P2. ¿Qué es fe?

R2. Fe es *creer* lo que Dios ha dicho y *comprometernos* con su Palabra.

P3. ¿Qué son los dardos de fuego?

R3. La Biblia no nos dice específicamente qué son los dardos de fuego de Satanás, pero pueden ser cualquier cosa que nos haga *dudar* o desobedecer la verdad.

P4. ¿Cómo usamos el escudo de la fe?

R4. Usamos el escudo de la fe cuando nos *comprometemos* a vivir según la verdad de la Palabra de Dios en lugar de según las mentiras de Satanás.

Llena los espacios en blanco

P1. ¿Qué representa el escudo de la fe?

R1. El escudo de la fe representa una vida de protección basada en nuestra _______ en el carácter, palabra y obras de Dios.

P2. ¿Qué es fe?

R2. Fe es ________ lo que Dios ha dicho y _______________ con su Palabra.

P3. ¿Qué son los dardos de fuego?

R3. La Biblia no nos dice específicamente qué son los dardos de fuego de Satanás, pero pueden ser cualquier cosa que nos haga ________ o desobedecer la verdad.

P4. ¿Cómo usamos el escudo de la fe?

R4. Usamos el escudo de la fe cuando nos _________________ a vivir según la verdad de la Palabra de Dios en lugar de según las mentiras de Satanás.

Para un análisis más profundo

1. ¿Puedes recordar algunas áreas de tu vida donde has estado creyendo las mentiras de Satanás?
2. ¿Cuál es la verdad que contradice esas mentiras?
3. ¿Crees que conoces la Biblia lo suficientemente bien como para usar versículos contra las mentiras de Satanás? ¿Cuál es lo más importante que pudieras hacer para mejorar tu manejo de las Escrituras?

¿Y si yo no creyera?

1. Si no me diera cuenta que toda la fe y el camino cristianos están basados sobre la fe, creyendo en Dios y actuando en consecuencia, entonces todo mi caminar cristiano sería incierto.
2. Estaré permanentemente frustrado y confundido sobre la negativa de Dios de darme lo que yo quiero.
3. Seré incapaz de resistir las dudas, las tentaciones y el desaliento que se presentan en la vida cristiana.
4. Lo peor que me puede ocurrir es que abandone la fe cristiana del todo.

Para un estudio extra

1. Las Escrituras

Varios pasajes de las Escrituras nos hablan de la importancia de la fe:

Mateo 17.20
Romanos 5.1
Romanos 10.17
Efesios 6.14
Mateo 11.28-30
Hebreos 11.1
Hebreos 11.6
Santiago 1.3

Lee estos pasajes y piensa en cómo ellos pueden ayudarte a entender mejor la importancia de confiar en las promesas de Dios.

Apunta al cielo, y vas a hacer blanco en la tierra. Apunta a la tierra, y no vas a conseguir ni lo uno ni lo otro.

■ **C.S. Lewis**

7

¿Qué es el yelmo de la salvación?

A *Christmas Carol* [Una canción de Navidad] de Charles Dickens es, además de una historia de Navidad en los Evangelios, probablemente una de las más queridas de todas las historias de Navidad. Sea que se lea en voz alta bajo el brillo de las luces de Navidad o que se disfrute en una de las muchas versiones fílmicas, la historia del tacaño Scrooge, la del frágil Tiny Tim y la del robusto Bob Crastchit y los tres fantasmas de Navidad traen calor a nuestros corazones y renuevan nuestros espíritus.

Scrooge, guiado por los fantasmas de Navidad, pasado, presente y futuro, pudo ver lo que había sido, lo que había llegado a ser, y lo que lo esperaba en el futuro si no estaba dispuesto a cambiar. Se le mostró el futuro antes que ocurriera y como resultado, pudo alterarlo en una forma positiva a través de cambiar su comportamiento presente. En un sentido, la historia es una hermosa metáfora de lo que ha sido enviado a hacer el Espíritu Santo: guiarnos a toda verdad y a la fuente de esa verdad, la Palabra de Dios.

La Biblia nos revela el futuro y nos dice que lo que somos y hacemos ahora tiene implicaciones eternas. Debemos fijar en nuestras mentes un cuadro de eternidad y vivir el presente a la luz de lo que hemos llegado a ser y lo que seremos cuando lleguemos al cielo. Debemos vivir en este mundo según el sistema de valores del venidero.

Alexander Solzhenitzyn dijo: «La única manera de sobrevivir en prisión es abandonar toda expectativa de este mundo y vivir para el venidero». La única forma de tener un gozo consistente en esta vida es poniendo nuestros valores, esperanzas, expectativas y nuestros afectos en el mundo venidero, no en este.

¿Qué representa el yelmo de la salvación?

El yelmo de la salvación representa un estilo de vida de esperanza que se origina en fijar nuestra mirada en nuestra salvación final.

Y tomad el yelmo de la salvación (Efesios 6.17).

En el cuerpo humano, la cabeza es una parte muy vulnerable. Un golpe en el brazo o en una pierna puede ser doloroso pero un golpe en la cabeza nos hace ver estrellas y oír pajaritos cantando. Un golpe violento en el brazo o en una pierna nos puede romper un hueso; un golpe violento en la cabeza puede terminar con la vida. Esta es la razón por qué los jugadores de fútbol americano y los ciclistas, y los trabajadores de la construcción usan fuertes cascos protectores.

En este capítulo aprendemos que:

1. El yelmo de la salvación representa un estilo de vida de esperanza que se origina en fijar nuestra mirada en nuestra salvación final.
2. Al ver todas las cosas temporales a la luz de la eternidad, estamos cultivando una perspectiva eterna.
3. Al usar los disgustos de este mundo como un catalítico para abrazar conscientemente la respuesta de Dios a estas cosas desagradables, estoy transfiriendo mi esperanza de este mundo al venidero.

Por razones obvias, los soldados romanos usaban yelmos. Un golpe dado por una espada, una lanza o una porra podía causar serias heridas o la muerte, por eso el soldado que se preparaba para la batalla protegía su cabeza con un yelmo. Al desarrollar su metáfora de la armadura espiritual, Pablo indica que el yelmo es una de las piezas más importantes, porque es el yelmo de la salvación.

La salvación tiene tres dimensiones: pasado, presente y futuro.

Pasado: «Porque por gracia *habéis sido salvos* por medio de la fe; y esto no de vosotros, pues es don de Dios, no por obras, para que nadie se gloríe» (Efesios 2.8-9. Nota del traductor. Aunque la versión usada en este versículo dice «sois salvos», hemos conservado la forma usada por el autor).

Esto implica que en algún punto en el pasado fuimos perdonados y limpiados de nuestros pecados, nacimos de nuevo espiritualmente y fuimos hechos aceptos para ir al cielo. Fuimos justificados; es decir, —declarados justos— por Dios.

La salvación pasada nos liberó de la *culpa* del pecado.

Presente: «Porque la palabra de la cruz es locura a los que se pierden; pero a los que se salvan, esto es, a nosotros, es poder de Dios» (1 Corintios 1.18. Nota del traductor. El autor usa de nuevo la expresión «pero *a los que han sido salvos*»).

Esto comunica la idea que hemos sido libertados más y más del poder del pecado en nuestras vidas de todos los días. Jesús dijo: «Y conoceréis la verdad, y la verdad os hará libres» (Juan 8.32). Mientras más conocemos la verdad, más libres somos de los efectos negativos del pecado. Si vivimos en obediencia fiel a Dios, Él nos libera del poder y la esclavitud del pecado.

Cuando Dios demanda de nosotros fidelidad a una sola persona en el matrimonio y que no seamos sexualmente promiscuos, Él nos está librando de enfermedades mortales. Cuando nos dice que no bebamos, nos está queriendo librar de la devastación del abuso del alcohol. Cuando nos dice que controlemos nuestra ira, nos está liberando de los efectos de abusos físicos y emocionales.

Mientras muchos piensan únicamente en el alto costo del discipulado se olvidan del alto costo de *no* ser un discípulo.

La salvación presente nos libera del *poder* del pecado.

Futuro: «Así también Cristo fue ofrecido una sola vez para llevar los pecados de muchos; y aparecerá por segunda vez, sin relación con el pecado, para salvar a los que le esperan» (Hebreos 9.28).

Cuando Cristo venga otra vez, Él nos conducirá a nuestra salvación final y entonces iremos al cielo. El cielo y la tierra actuales serán destruidos en un destello cósmico y serán creados nuevo cielo y nueva tierra. Todo pecado será destruido y nosotros viviremos para siempre en la presencia de Dios, donde el pecado no nos podrá afectar ni tocar y nunca más sabremos de él.

Cuando Pablo menciona el yelmo de la salvación como nuestra siguiente parte de la armadura espiritual, él no está hablando de nuestra salvación pasada en la cual experimentamos conversión en Cristo. Él no está mirando hacia atrás, sino que está mirando adelante, a nuestra salvación futura y a la esperanza que ella trae.

Este mirar hacia adelante se hace evidente en 1 Tesalonicenses 5.8: «Pero nosotros, que somos del día, seamos sobrios, habiéndonos vestido con la coraza de fe y de amor, y *con la esperanza de la salvación como yelmo*» (cursivas añadidas). Esta sección de la «armadura espiritual» de Tesalonicenses se escribió para personas que ya eran salvas. Si alguien ya ha echado mano del cinto de la verdad y la coraza de justicia, es una persona salvada, aun antes que se ponga el yelmo. Si Pablo se estuviera refiriendo a la salvación pasada de la culpa del pecado, sería redundante agregar el yelmo al cinto de la verdad y a la coraza de justicia. En cambio, él está mirando hacia adelante a la salvación final de los creyentes de la presencia del pecado y la esperanza que da para soportar las pruebas de hoy.

La esperanza es absolutamente esencial para perseverar en cualquier esfuerzo. Es cuando las personas pierden toda esperanza que cometen suicidio. Pedirle a alguien que viva sin esperanza es como pedirle que corra una carrera que no tiene una meta final. Saber que hay una meta y dónde se encuentra nos da las fuerzas que necesitamos para seguir corriendo. Cuando podemos mirar hacia adelante a nuestra redención final y al cumplimiento del anhelo más grande de nuestros corazones, entonces podemos tener esperanza en esta vida que las fuerzas nos permitirán superar las dificultades.

Entendiéndolo de este modo, tiene pleno sentido el que Pablo nos aliente a tomar esta pieza de la armadura como parte de nuestra continua batalla espiritual. La batalla no parecerá durar más de un segundo comparada con la eternidad. La Madre Teresa lo dijo: Cuando alcancemos el cielo, todas nuestras más terribles experiencias sobre la tierra no parecerán más que una mala noche pasada en un hotel barato.

Muchos versículos de las Escrituras confirman esto. Por ejemplo, tenemos la maravillosa confianza de saber que no podemos perder la batalla que estamos librando. En Romanos 8.30: Pablo dice que «a los que predestinó, a estos también llamó; y a los que llamó, a estos también justificó; y a los que justificó, a éstos también glorificó». Esta es la maravillosa seguridad que forma nuestra cadena de salvación. No hay ningún eslabón roto entre la predestinación y la glorificación.

Esta salvación nos da lo que Pedro llama «una esperanza viva».

> Bendito el Dios y Padre de nuestro Señor Jesucristo, que según su grande misericordia nos hizo renacer para una esperanza viva, por la resurrección de Jesucristo de los muertos, para una herencia incorruptible, incontaminada e inmarcesible, reservada en los cielos para vosotros, que sois guardados por el poder de Dios mediante la fe, para alcanzar la salvación que está preparada para ser manifestada en el tiempo postrero (1 Pedro 1.3-5).

Pedro continúa diciendo que cuando tenemos esta esperanza viva:

> Vosotros os alegráis, aunque ahora por un poco de tiempo, si es necesario, tengáis que ser afligidos en diversas pruebas, para que sometida a prueba vuestra fe, mucho más preciosa que el oro, el cual aunque perecedero se prueba con fuego, sea hallada en alabanza, gloria y honra cuando sea manifestado Jesucristo, a quien amáis sin haberle visto, en quien creyendo, aunque ahora no lo veáis, os alegráis con gozo inefable y glorioso; obteniendo el fin de vuestra fe, que es la salvación de vuestras almas (1 Pedro 1.6-9).

Como podemos ver, la esperanza bíblica es más que un pensamiento ansioso, es un pensamiento ansioso sincero. A menudo, cuando la gente espera algo, lo expresa de esta manera: «Estoy seguro que vamos a ganar el juego» (o mi promoción, o los resultados de los exámenes médicos). No hay nada malo en tener esa esperanza, pero no es de lo que está hablando el Nuevo Testamento. En lugar de eso, «esperanza» en el Nuevo Testamento quiere decir la certeza que Dios deposita en nuestros corazones de que Él cumplirá todas sus grandes y preciosas promesas en su tiempo y forma. Es fácil ver cómo esta clase de esperanza, esta clase de confianza-descansada en lo que está por venir, nos da constancia, fuerzas, ánimo y resistencia ante las grandes pruebas de la vida.

A través de toda las Escrituras vemos la promesa y descripción de las bendiciones futuras de nuestra salvación dándonos esperanza e incluso gozo y exaltación. En Romanos 5.2, Pablo escribe: «Nos gloriamos en la esperanza de la gloria de Dios». Confiadamente miramos hacia adelante al día cuando seremos despojados de nuestro cuerpo en el cual aún reside el poder del pecado (Romanos 7) para finalmente llegar a ser personas glorificadas, libres para adorar a Dios sin ninguna clase de limitaciones de pecado. Nuestras esperanzas más grandes, nuestros gozos más profundos, nuestros más altos anhelos llegarán a ser una realidad. Y nuestra firme certeza de que todo esto llegará a ser es la «esperanza».

Pero Pablo no terminó la idea en Romanos 5.2 sino que continúa en los versículos 3-5, donde escribe: «Y no solo esto, sino que también nos gloriamos en las tribulaciones, sabiendo que la tribulación produce paciencia; y la paciencia, prueba; y la prueba, esperanza; y la esperanza no avergüenza; porque el amor de Dios ha sido derramado en nuestros corazones por el Espíritu Santo que nos fue dado».

Un cristiano puede regocijarse no solo porque puede mirar hacia adelante con confiada anticipación a la gloria futura que Dios ha prometido sino también en la realidad de las pruebas presentes. ¿Por qué? Porque estas pruebas producen paciencia que tiene la capacidad de regocijarse en el futuro. Estas pruebas producen una paciencia llena de esperanza y confianza en que Dios finalmente nos dará todo lo que nos ha prometido.

En su libro *A Step Further* [Un paso más] Joni Eareckson Tada escribe:

> No, Satanás no se desliza para causar neumonía y cáncer mientras Dios pareciera mirar a otro lado a la vez que escucha las oraciones de sus santos. Él solo puede hacer lo que nuestro todopoderoso y todosapiente Dios le permite. Nosotros tenemos la promesa de Dios de que nada será permitido si no es para nuestro bien o que sea demasiado para nuestras fuerzas (Romanos 8.28; 1 Corintios 10.13).
>
> Alabado sea el Señor porque cuando Satanás nos causa las enfermedades o cualquiera otra calamidad, podemos contestarle con las palabras que José respondió a sus hermanos que lo habían vendido como esclavo. «Vosotros pensasteis mal contra mí, mas Dios lo encaminó a bien» (Génesis 50.20).
>
> A veces, me estremezco al pensar dónde estaría hoy si no me hubiera roto el cuello. Al principio no podía ver por qué Dios había permitido esto, pero te aseguro que ahora sí lo entiendo. ¡Él se ha glorificado mucho más a través de mi parálisis que lo que pudo haberse glorificado a través de mi salud! Y créeme, tú nunca sabrás cuán rica me hace sentir eso. Si Dios decide sanarte en respuesta a la oración, tremendo. Gracias a Él por la sanidad. Pero si Él decide no sanarte, gracias a Él de todas maneras. Puedes estar seguro que Él tiene sus razones» (136, 140-141, 155).

Es maravilloso ver la inmensa reserva de esperanza que hay dentro del corazón de Joni y que ella atribuye directamente a las pruebas resultantes de la rotura de su cuello. Ella no dice que Dios le rompió el cuello. Más bien dice que Dios ha usado para bien todo lo que ha tenido que ver con su cuello roto (Romanos 8.28).

Aun cuando nuestro nivel de sufrimiento no sea ni parecido con lo que sería romperse el cuello y quedar paralizado, los problemas que tenemos pueden de todas maneras empezar a pesar demasiado sobre nosotros. Las angustias de tener a varios hijos en edad preescolar en casa, la angustia de no ganar lo suficiente como para atender a todas las necesidades de la familia, la angustia de no ser reconocidos en el trabajo o ser tratados irrespetuosamente, la angustia de ser acusados falsamente de cosas deshonestas, la angustia de tener una salud quebrantada y la angustia de amistades rotas, pueden ser pruebas demasiado pesadas.

Muchas de tales situaciones pueden pesarnos tanto que podemos desalentarnos y sentirnos tentados a perder toda esperanza. Pero en la tentación, recuerda para qué es el yelmo. No debemos mirar a las circunstancias presentes, sino adherirnos a la esperanza de la salvación eterna y la gloria que va a ser nuestra.

El apóstol Pablo escribe de su propia esperanza que ante tremendas pruebas. Él dice:

> Estamos atribulados en todo, mas no angustiados; en apuros, mas no desesperados; perseguidos, mas no desamparados; derribados, pero no destruidos; llevando en el cuerpo siempre por todas partes la muerte de Jesús, para que también la vida de Jesús se manifieste en nuestros cuerpos» (2 Corintios 4.8-10).

Pablo describe con más detalles cuáles eran esas pruebas:

> De los judíos cinco veces he recibido cuarenta azotes menos uno. Tres veces he sido azotado con varas; una vez apedreado; tres veces he padecido naufragio; una noche y un día he estado como naúfrago en alta mar; en caminos muchas veces, en peligros de ríos, peligros de ladrones, peligros de los de mi nación, peligros de los gentiles, peligros en la ciudad, peligros en el desierto, peligros en el mar, peligros entre falsos hermanos; en trabajo y fatiga, en muchos desvelos, en hambre y sed, en muchos ayunos, en frío y en desnudez; y además de otras cosas, lo que sobre mí se agolpa cada día, la preocupación por todas las iglesias» (2 Corintios 11.24-28).

Pablo sigue diciendo, sin embargo, que él sabe que «el que resucitó al Señor Jesús, a nosotros también nos resucitará con Jesús, y nos presentará juntamente con vosotros» (2 Corintios 4.14). Como resultado de esta esperanza cierta, escribe:

> Por tanto, no desmayamos; antes aunque este nuestro hombre exterior se va desgastando, el interior no obstante se renueva de día en día. Porque esta leve tribulación momentánea produce en nosotros un cada vez más excelente y eterno peso de gloria; no mirando nosotros las cosas que se ven, sino las que no se ven; pues las cosas que se ven son temporales, pero las que no se ven son eternas (2 Corintios 4.16-18).

Cuando vemos estas grandes pruebas que Pablo tuvo que soportar como cristiano, es increíble que él las llame «leve tribulación». En Romanos 8.18 lo vemos saliendo resueltamente de las dificultades con el valor de su esperanza del cielo: «Pues tengo por cierto que las aflicciones del tiempo presente no son comparables con la gloria venidera que en nosotros ha de manifestarse».

El punto central de Pablo es este: Sin negar los sufrimientos de esta vida, confiadamente enfatiza la gloria que nos va a ser revelada. De nuevo vemos que esa esperanza bíblica es el conocimiento que Dios deposita dentro de nosotros. Pablo *sabe* que la salvación futura llegará. Esta esperanza de la consumación futura de la salvación que está actualmente en proceso es el yelmo que nos protege en la batalla espiritual diaria (Efesios 1.13-14).

La salvación futura nos liberará de la *presencia* del pecado.

El apóstol Pablo dice que si quieres permanecer firme en la batalla espiritual contra los poderes de las tinieblas debes mantener tu mente fija en tu salvación definitiva. Pon tu corazón en el mundo venidero mientras mantienes tus manos en este. «Poniéndote *como* un yelmo la esperanza de la salvación».

¿Cómo podemos cultivar una perspectiva eterna?

Cultivamos una perspectiva eterna viendo las cosas temporales a la luz de la eternidad.

La creación gime a una bajo el peso del pecado (Romanos 8.22-23) y nosotros como seres humanos también gemimos bajo el peso del pecado.

En una escala global, desearíamos que hubiese paz. Desearíamos que los ejércitos no marcharan contra ejércitos; que los terroristas no pusieran bombas y tomaran rehenes; que los gobiernos totalitarios no oprimieran a sus propios pueblos.

Pero las Escritas nos advierte que en este imundo habrá guerras y rumores de guerras; nos advierte de la inhumanidad de la raza humana contra la raza humana. Nunca habrá paz sobre la tierra. Si esperamos solo en este mundo, seremos amargamente desilusionados.

En una escala social, desearíamos que hubiese armonía. Desearíamos que se terminaran los prejuicios y la intolerancia, la corrupción en los gobiernos y en los negocios, los crímenes y los abusos. Desearíamos que la gente no destruyera el medio ambiente y contaminara el agua y envenenara el aire. Desearíamos que hubiera un gran sentido de comunidad y que estuviéramos más dispuestos a preocuparnos los unos por los otros.

Pero las Escrituras nos dice que esperemos persecución e intolerancia y egoísmo y avaricia y crímenes y vicios. Acciones corruptas vienen de corazones corruptos.

A nivel personal, nos gustaría que las gentes, las posesiones y las circunstancias fueran como nosotros querríamos; que nuestro trabajo fuera tan apreciado y tan bien pagado como desearíamos; que nuestros hijos fueran tan maduros que resistieran la presión de sus compañeros. Nos gustaría bajar de peso comiendo pizza y sanar de nuestras enfermedades con helado de chocolate y crema.

> *Por qué necesito saber sobre esto*
>
> Es muy difícil vivir sin esperanza. Debo creer que hay algo en el futuro que vale la pena tratar de lograr o no tendrá sentido vivir el presente. El yelmo de la salvación me da la esperanza que necesito para enfrentar las demandas del presente y las inseguridades de la vida.

Pero las Escrituras nos enseña que las circunstancias se nos irán por entre los dedos, que las posesiones se derrumbaran ante nuestros ojos y que el dinero criará alas y volará. Salomón dijo que él había probado todo lo que este mundo tenía para ofrecerle: fama, dinero, placer, logros, alcohol, y nada lo había satisfacido. Había sido como embotellar el viento y comerse el cielo. Si miramos a este mundo buscando satisfacción o justicia o sanidad, seguiremos decepcionados.

Pero Dios nos da esperanza. Porque Él dice que este mundo no es todo lo que hay. Este mundo no es nuestro hogar; por aquí estamos solo de paso. Pertenecemos tanto a este mundo como el pez podría pertenecer al desierto o el camello al mar. Nosotros pertenecemos a Dios. Hemos sido hechos para el cielo. Esa es nuestra esperanza y nuestro destino.

Gozo. Satisfacción. Paz. Buenas amistades. Cualquiera cosa agradable y correcta y justa y buena no es más que un anticipo del cielo. Cualquiera cosa dañina y mala e injusta y diabólica no es más que un anticipo del infierno, la eternidad sin Dios.

Vive, entonces, para el mundo venidero. Pon tu esperanza en la promesa del mundo venidero. Cambia tus valores a los preceptos del mundo venidero. Desarrolla tu gusto por los frutos del mundo venidero. Hazlo no porque todo sea malo en este mundo —porque no todo es malo— sino porque al fin de cuentas nada en este mundo satisface, y nada en este mundo ofrece una solución permanente a nada.

¿Cómo transfiero mi esperanza de este mundo al venidero?

Transfiero mi esperanza de este mundo al venidero usando las desilusiones de este mundo como un catalizador para abrazar conscientemente las respuestas de Dios a estas desilusiones.

¿En qué confías en esta vida para que te dé sentido, gozo, satisfacción y paz?

Si tú eres soltero, ¿crees que casándote darás sentido a tu vida? Sin Cristo, no.

Si estás sufriendo angustias financieras, ¿crees que más dinero te dará satisfacción? Sin Cristo, no.

Si estás sin trabajo, ¿crees que una carrera te dará gozo? Sin Cristo, no.

Esto no significa que no puedas tratar de alcanzar estas cosas si Dios te da la libertad. Solo que no esperes que ellas te den sentido, gozo, satisfacción y paz en la vida.

Si pones el fundamento de tu vida en la gente, las posesiones y las circunstancias, recibirás golpes, magulladuras, sacudones y traspiés. Recibirás heridas, disgustos, te agotarás y te confundirás. Oh, las cosas van bien durante un tiempo, pero de pronto, la vida las descontrola por completo.

Pero si el fundamento para tu vida lo pones en Dios,

- si buscas satisfacer tus ansias de amor en la seguridad que Él, y solo Él puede amarte perfectamente y para siempre;
- si recibes tu sentido de importancia del hecho que Él te ha llamado para la causa más grande de las edades, para conocerlo a Él y para darlo a conocer;
- si obtienes tu sentido de propósito del hecho que Él te ha dotado para que hagas ciertas cosas que solo tú puedes hacer, y que Él quiere usarte como una pieza clave en su plan para las edades, tanto ahora como para siempre;
- entonces, tus dolores y angustias de vida no te destruirán. Confiadamente puedes gozar de las cosas buenas de la vida, como solo el cristiano que está caminando cerca de Dios puede hacerlo.

Si estás dependiendo de la gente, de las posesiones, y de las circunstancias para que le den sentido y satisfacciones a tu vida, entonces te vas a sentir confundido, herido y furioso con Dios cuando Él no te dé las cosas que tú sientes que necesitas. Pero si derivas tu valía y satisfacción de Él, entonces la vida tendrá sentido y propósito tanto en tiempos buenos como malos.

Así es que, ponte el yelmo de la esperanza de la salvación. Fija tu mente, tus esperanzas, tus valores en el mundo que viene. El yelmo te protegerá de los ataques mortales del enemigo en este mundo.

¡Topes de velocidad!

Baja la velocidad para asegurarte que has captado los puntos principales de este capítulo.

Pregunta Respuesta

P1. ¿Qué representa el yelmo de la salvación?

R1. El yelmo de la salvación representa una forma de vida de *esperanza* que viene cuando ponemos nuestra atención en la salvación final.

P2. ¿Cómo podemos cultivar una perspectiva eterna?

R2. Podemos cultivar una perspectiva eterna viendo todas las cosas temporales a la luz de la *eternidad*.

P3. ¿Cómo puedo transferir mi esperanza de este mundo al venidero?

R3. Puedo transferir mi esperanza de este mundo al venidero a través de usar las desilusiones de este mundo como un catalizador para *abrazar* conscientemente la respuesta de Dios a estas desilusiones.

Llena los espacios en blanco

Pregunta Respuesta

P1. ¿Qué representa el yelmo de la salvación?

R1. El yelmo de la salvación representa una forma de vida de ____________ que viene cuando ponemos nuestra atención en la salvación final.

P2. ¿Cómo podemos cultivar una perspectiva eterna?

R2. Podemos cultivar una perspectiva eterna viendo todas las cosas temporales a la luz de la ____________.

P3. ¿Cómo puedo transferir mi esperanza de este mundo al venidero?

R3. Puedo transferir mi esperanza de este mundo al venidero a través de usar las desilusiones de este mundo como un catalizador para __________ conscientemente la respuesta de Dios a estas desilusiones.

Para un análisis más profundo

1. Imagínate que has sido visitado por tus propios fantasmas pasado, presente y futuro de Navidad. ¿Qué podrías aprender de esa visita?
2. ¿Cuáles son los objetivos de tu vida que crees que te van a dar la felicidad? ¿Y si no logras tales objetivos? ¿Será suficiente Jesús y lo que Él quiera darte?
3. ¿Qué es lo que más te atrae sobre el cielo que te ayuda a poner tu esperanza en el mundo venidero?

¿Y si yo no creyera?

1. Si yo no creyera en el yelmo de la esperanza de la salvación,

perdería la capacidad de interpretar todas las cosas temporales a la luz de la eternidad.

2. Perdería la capacidad de perseverar a través de las dificultades del presente porque perdería la esperanza en el futuro.
3. Me desalentaría y sería blanco fácil para el engaño de Satanás.

Para un estudio extra

1. Las Escrituras

Varios pasajes de las Escrituras hablan de la importancia de la rectitud:

- Romanos 8.22-25
- 2 Corintios 4.16-18
- Efesios 6.17
- Colosenses 3.1-2
- 1 Pedro 1.13
- Romanos 13.11-12
- 1 Tesalonicenses 5.8

Lee estos pasajes y piensa cómo ellos te pueden ayudar a entender la importancia de la rectitud.

¿Defender la Biblia? Sería como defender a un león. Deja a la Biblia sola. Ella se defiende a sí misma.
■ **Charles H. Spurgeon**

8

¿Qué es la espada del Espíritu?

A las 7 de la noche del lunes 14 de abril de 1986, trece bombarderos rugieron por sobre las aguas del mar Mediterráneo rumbo a la ciudad de Trípoli, en el Líbano. Volando a una velocidad cercana a la del sonido, no más alto que quinientos pies sobre el nivel de la tierra, estas flechas luminosas de metal soltaron su carga mortal, después de lo cual regresaron sanos y salvos a su base en el Mediterráneo.

Una evaluación posterior habría de mostrar que se había hecho blanco en todos los objetivos principales: barracas, centros de comunicación, una base naval, un cuartel de terroristas, aviones en tierra y helicópteros. El golpe vengativo del Presidente Reagan contra el terrorismo global de Muammar al-Kadafi fue completo. Misión cumplida.

Dar en blancos tan pequeños mientras se vuela a seiscientas millas por hora a solo quinientos pies sobre el suelo es como bajar un cerro a toda carrera y tropezar con un hormiguero.

¿Cómo pudieron lograrlo? ¿Qué fue lo que lo hizo posible?

¡El rayo láser! Rayos láser del grosor de un lápiz buscaban el blanco electrónicamente y luego lo fijaban mediante un mecanismo controlado por computadora. Las bombas mismas tenían también un dispositivo láser-sensitivo que las guiaba a los blancos.

La tecnología de los rayos láser ha revolucionado la guerra. El Presidente Reagan es el campeón de su iniciativa «Guerra de las Galaxias» que consiste en una serie de satélites puestos en órbita de la tierra y que pueden dirigir rayos láser contra misiles atacantes y destruirlos en pleno vuelo. Tanques, armas antiaéreas, e incluso armas personales de infantería están siendo dotadas de rayos láser para aumentar su eficiencia y minimizar los errores humanos. Los rayos láser tienen un futuro formidable en la guerra moderna.

Pero los rayos láser son también un recurso de sanidad formidable. En el centro de fertilidad del Hospital Northside de Atlanta, el Dr. Cameron Nezhat maneja un rayo láser para quitar la endometriosis y aumentar las posibilidades de concepción en las mujeres. En Colorado Springs, un oftalmólogo usa un pequeño rayo láser para reparar la retina desprendida de un atleta olímpico. En el Instituto Roswell Park Memorial de Buffalo, New York, Frank Rauscher informa que están usando lásers para destruir tumores cancerosos, y a medida que la tecnología progresa, se descubrirán muchas más aplicaciones altamente avanzadas.

Los rayos láser (siglas del inglés *Light Amplification by Stimulated Emission of Radiation*, amplificación de la luz mediante emisión de radiación estimulada) produce un rayo de luz intenso y penetrante que tiene sorprendente poder tanto para destruir como para sanar, para atacar como para proteger.

En los días del apóstol Pablo el arma tanto para atacar como para defenderse era la espada del soldado.

¿Qué representa la espada del Espíritu?

La espada del Espíritu representa el uso ofensivo y defensivo de la Biblia en la guerra espiritual.

Y tomad ... la espada del Espíritu, que es la Palabra de Dios (Efesios 6.17).

La última parte de la armadura en el arsenal del creyente es la espada del Espíritu. Diferente de las cinco piezas anteriores, esta espada es tan poderosa como el láser y tiene capacidades tanto ofensivas como defensivas.

La espada del soldado romano (*machaira*) era corta y de doble filo. Esta arma de cortar y clavar, usada por los legionarios más pesadamente armados era diferente de la larga y ancha espada traciana (*rhomphaia*). La espada romana más pequeña se usaba en combates cuerpo a cuerpo. Arma de último recurso, se recurría a ella en la lucha intensa y desesperada.

La espada del creyente es la Palabra de Dios. La Biblia usa dos diferentes términos para referirse a la Palabra de Dios. Una es *logos*, que se refiere a la colección de palabras que engloban toda la verdad revelada de Dios. Para nosotros esta es sinónimo de Biblia, la segunda palabra, *rhema*, es la usada en este versículo. A menudo, *rhema* se refiere a palabras individuales y específicas. Cuando nos involucramos en combate espiritual, no apelamos a toda la Biblia sino que usamos pasajes específicos y relevantes, palabras específicas de Dios.

Por ejemplo, cuando te sientes tentado a enfurecerte hasta el punto de estallar, no te va a ayudar mucho decir: «Yo creo en toda la Biblia». En cambio, contrarrestas la tentación con «La ira del hombre no obra la justicia de Dios»; o, «El necio da rienda suelta a toda su ira, mas el sabio al fin la sosiega»; o, «El hombre iracundo levanta contiendas, y el furioso muchas veces peca» (Santiago 1.20; Proverbios 29.11,22). Las palabras específicas de Dios son aquellas que se relacionan directamente con el problema o la tentación y así nos ayudan a tener éxito en la batalla espiritual.

En este capítulo aprendemos que:

1. La espada del Espíritu representa el uso ofensivo y defensivo de la Biblia en la guerra espiritual.
2. La espada se usa defensivamente cuando se aplican las Escrituras a cada duda, tentación o desaliento lanzados contra nosotros por Satanás.
3. La espada se usa ofensivamente para provocar cambio, para alentar el crecimiento espiritual a través de la evangelización, la enseñanza, la predicación y la consejería.

En la guerra espiritual es importante comprometerse con toda la Biblia, pero este compromiso ocurre cuando nos ponemos la primera parte de la armadura, el cinto de la verdad. Cuando nos abrochamos el cinto, aceptamos la verdad de la

Biblia y decidimos seguirla con integridad. Entonces, cuando tomamos la espada del Espíritu, usamos estos pasajes específicamente en situaciones de la vida donde necesitamos parar los ataques del enemigo y ahuyentarlo.

¿Pero por qué Pablo se refiere a ella como la espada del Espíritu? ¿Por qué no, simplemente, la llama la espada de la Palabra? La llama la espada del Espíritu por dos razones: primero, porque el Espíritu Santo nos dio la Palabra; y segundo, porque el Espíritu Santo nos ayuda a entender la Palabra.

En 2 Timoteo 3.16 se nos dice: «Toda la Escritura es inspirada por Dios». La palabra *inspirada* significa, literalmente, «alentada por Dios». Y en 2 Pedro 1.20-21 se nos dice que «ninguna profecía de las Escrituras es de interpretación privada, porque nunca la profecía fue traída por voluntad humana, sino que los santos hombres de Dios hablaron siendo inspirados por el Espíritu Santo».

Los teólogos admiten que nosotros no sabemos exactamente qué quiere decir esto, pero de alguna manera el Espíritu Santo influyó a los profetas y escritores de las Escrituras a hablar y escribir solo lo que Dios quería. Por lo tanto, es la Palabra de Dios.

De modo que a la Palabra de Dios se le llama la espada del Espíritu porque el Espíritu de Dios nos la dio. No debe sorprendernos, entonces, que necesitemos del Espíritu Santo para que nos ayude a entenderla.

En los frustrantes días previos a que llegara a ser cristiano, traté de leer la Biblia, pero no saqué nada en limpio, así es que la puse a un lado. Meses más tarde me entregué a Cristo y de repente, pareció que la Biblia no era capaz de darme todo lo yo quería de ella. No solo quería leerla, sino que la entendía. Leía y leía y leía y poco a poco iba entendiendo más y más. No lo entendía todo (y todavía no lo entiendo todo) pero entendía algunas cosas, y estaba contento de leer la Biblia por lo que *entendía* en lugar de dejar de leerla por lo que *no entendía.*

En cierta ocasión, Mark Twain dijo: «Mucha gente se preocupa por lo que hay en la Biblia que no entiende. Francamente, lo único que me molesta a mí es lo que entiendo».

Me identifico con eso. No entiendo cada cosa y nunca lograré entender todo. Pero lo que entiendo me enseña lo que necesito saber sobre la vida cristiana y me provee protección contra las asechanzas de Satanás.

¿Cómo se usa la espada para la defensa?

La espada se usa defensivamente al aplicar las Escrituras a cada duda, tentación y desaliento que nos lance Satanás.

Todas las piezas de la armadura de Dios están estrechamente relacionadas unas con otras. Por ejemplo, el uso defensivo de la espada del Espíritu está íntimamente ligado con el escudo de la fe. Cada vez que sintamos que vamos a acobardarnos o dudar, tomemos el escudo para rechazar tales pensamientos, y digámonos la verdad blandiendo la espada del Espíritu.

Cuando Satanás tentó a Jesús con la comodidad física, Jesús bloqueó la tentación con el escudo de la fe, llamándola una mentira. Luego, Él contó con la espada del Espíritu para declarar la verdad: «Escrito está: No solo de pan vivirá el hombre, sino de toda palabra que sale de la boca de Dios» (Mateo 4.4). Jesús conocía la porción precisa de las Escrituras que servía para la tentación que estaba enfrentando, y esta defensa le dio las fuerzas para derrotar al enemigo.

Cuando Satanás tentó a Jesús con poder, Jesús derribó esa tentación con el escudo de la fe y contó con la espada del Espíritu: «Vete, Satanás, porque escrito está: Al Señor tu Dios adorarás, y a Él solo servirás» (Mateo 4.10).

Satanás fue vencido en la batalla porque Jesús blandió la espada del Espíritu. La misma armadura protectora es nuestra. Satanás tienta. Y porque conocemos la Biblia específicamente, podemos detectar el error y defendernos con éxito.

¿Cómo se usa la espada para atacar?

La espada se usa ofensivamente para provocar cambio, para alentar el crecimiento espiritual a través de la evangelización, la enseñanza, la predicación y la consejería.

Un profesor de la Escuela secundaria de Newton, Massachusetts —una de las mejores escuelas secundarias de la nación— interrogó a un grupo de alumnos que iban a la universidad en un curso sobre «Biblia como literatura» que él había preparado para enseñar. De ese examen, según las respuestas de los estudiantes, aprendí cosas asombrosas sobre la Biblia, como por ejemplo, que Sodoma y Gomorra eran amantes; que Jezabel era el burro de Acab; que los Evangelios del Nuevo Testamento fueron escritos por Mateo, Marcos, Lutero y Juan; que Eva fue creada de una manzana; que Jesús fue bautizado por Moisés y que Gólgota era el nombre de un gigante a quien mató el apóstol David.

Es divertido. Pero también es triste. En el pasado, el conocimiento bíblico era básico en la educación en Estados Unidos. La Gran Liga Ivy de Harvard, Princeton y Yale fue fundada originalmente para el entrenamiento de ministros del Evangelio. Hoy día, sin embargo, Estados Unidos es más y más ignorante sobre la Biblia.

Al mismo tiempo, el país está siendo arruinado por la destrucción de hogares, abuso de drogas y alcohol, abuso físico y sexual, fugas de niños y embarazos de adolescentes, enfermedades venéreas y SIDA en proporciones epidémicas, crímenes y corrupción en los negocios y en el gobierno, todo esto en una nación donde la educación es obligatoria. Estados Unidos es una nación en crisis.

¿Por qué? Porque no conocemos ni nos interesa conocer la Biblia. Y tristemente, aun muchos cristianos son desgraciadamente ignorantes de la Palabra de Dios.

Por qué necesito saber esto

La Biblia es central a la vida cristiana, pero la mayoría de los cristianos no la conocen lo suficiente como para aplicarla específicamente a todos los retos y tentaciones de la vida. En Mateo 4.1-11, Jesús blandió muy específicamnente las Escrituras para derrotar las argucias del demonio en su vida. Igual debemos hacer nosotros. Conocer las Escrituras es de capital importancia para que seamos cristianos victoriosos, y debemos comprometernos a aprender la Palabra de Dios lo suficientemente bien como para que sea efectiva en el combate espiritual.

Simplemente, debemos aprender la Biblia. No importa cuán bien la conozcamos, debemos tratar de conocerla mejor. Hay una multitud de medios para que lo hagamos: Libros cristianos y guías para estudio, comentarios y otras ayudas, material para clases de Escuela Dominical, estudios bíblicos en los hogares, grupos de crecimiento, estudios bíblicos comunitarios, seminarios, ministerios de discipulado entre otros.

Pero recuerda, la Biblia no es para estudiarla como un fin en sí misma, sino como una revelación de Dios y su verdad para nosotros de modo que nuestros pensamientos, escala de valores, hábitos, acciones, palabras y más importante que todo, que nuestras vidas cambien.

¡Cambio! Este es el gran propósito de la Biblia. Cambiarnos de tal manera que lleguemos hoy a ser más que la persona que fuimos ayer, menos como una persona caída y más parecidos a Dios.

Dios no es meramente una red de seguridad o un bote salvavidas. Él no camina a nuestro lado simplemente para rescatarnos de problemas y así nuestra vida sea más apacible. Él demanda de nosotros participación activa. Él demanda nuestro compromiso, nuestra lealtad, nuestra adoración y nuestra obediencia. Para hacer eso, necesitamos el poder de la Palabra. «Porque la palabra de Dios es viva y eficaz, y más cortante que toda espada de dos filos; y penetra hasta partir el alma y el espíritu, las coyunturas y los tuétanos, y discierne los pensamientos y las intenciones del corazón» (Hebreos 4.12).

Cuando aprendemos la verdadera palabra y la seguimos,

la gente adolorida recibe ayuda;
la gente abusada es sanada;
la gente enojada se tranquiliza;
la gente deprimida levanta el ánimo;
la gente temerosa recibe valor;
la gente débil es fortalecida;
la gente confundida recibe visión;
la gente insensata recibe sabiduría;
la gente ignorante recibe conocimiento;
la gente egoísta se transforma en generosa;
la gente detestable es amada;
la gente incrédula desarrolla fe;
la gente agresiva se hace apacible;
la gente orgullosa se hace humilde.
No es rápido ni es fácil, pero es seguro.

De modo que toma la espada del Espíritu, la cual es la Palabra de Dios, y obtén la victoria en las batallas espirituales que enfrentas. Tomar la espada del Espíritu quiere decir que tú vas a usar las Escrituras específicamente en situaciones de la vida para defenderte de los ataques del enemigo y hacer que huya de ti.

Conclusión

Es a través de la Biblia que Dios hace del conocimiento de la humanidad lo que Él quiere que sepamos. Hebreos 3.7 dice: «Por lo cual, como dice el Espíritu Santo» y luego cita un pasaje de los Salmos escrito por David. Este es un pasaje tremendo porque atribuye a Dios algo que fue escrito por un ser humano. Este y otros pasajes en la Biblia dan fe que las Escrituras fue *revelada* por Dios.

Como lo vimos ya en 2 Timoteo 3.16-17, toda Escritura es *inspirada* por Dios. Revelación quiere decir que Dios reveló su verdad a los que escribieron la Palabra. Inspiración quiere decir que Él trabajó a través de ese proceso de tal manera que lo que Él reveló fue escrito correctamente.

La primera y quizás la cosa más importante que se puede decir de la Biblia, entonces, es que claramente afirma que Dios es su autor. Luego, vemos que Dios respalda las Escrituras. Cuando se proclama la Biblia, cumple lo que Dios quiere. En Isaías 55.11 leemos: «Así será mi palabra que sale de mi boca; no volverá a mí vacía, sino que hará lo que yo quiero, y será prosperada en aquello para que la envié».

También respaldando el poder de las Escrituras, leemos en un pasaje poéticamente bello escrito por David, el rey de Israel:

> La ley de Jehová es perfecta,
> que convierte el alma;
> El testimonio de Jehová es fiel,
> que hace sabio al sencillo.
> Los mandamientos de Jehová son rectos,
> que alegran el corazón;
> El precepto de Jehová es puro,
> que alumbra los ojos.
> El temor de Jehová es limpio,
> que permanece para siempre;
> Los juicios de Jehová son verdad,
> todos justos.
> Deseables son más que el oro,
> y más que mucho oro afinado;
> Y dulces más que miel, y que la que
> destila del panal.
> Tu siervo es además amonestado
> con ellos;
> En guardarlos hay grande
> galardón (Salmo 19.7-11).

¡Qué tremendo testimonio al poder de las Escrituras! Vemos que la Palabra de Dios convierte el alma, hace sabio al sencillo, regocija el corazón, alumbra los ojos, dura para siempre, y que es más deseable que el oro. Es más dulce que la miel y al leer las Escrituras el siervo de Dios sabe que en guardarla hay grande galardón.

Cuando la gente sigue sus enseñanzas y compromete su vida a Cristo, la Biblia es capaz de transferir a la gente del reino de las tinieblas al reino de la luz. Los puede sacar del reino del pecado y la muerte y ponerlos a vivir en el reino de la justicia y la vida. Puede cambiar la tristeza en gozo, la desesperación en esperanza, la insensatez en sabiduría y los fracasos en éxitos.

La Palabra de Dios es tan poderosa y efectiva en las vidas de las personas que Satanás trabaja muy duro para neutralizar su influencia en las vidas de los cristianos. Él hará lo que le sea posible por estorbar la Palabra de Dios en quienes la oyen. Jesús contó la parábola del sembrador en la cual pinta a Satanás como listo para arrebatar la Palabra de Dios del corazón del que la oye antes que tenga posibilidades de echar raíces (Mateo 13.19). Cada vez que nos damos en fiel obediencia a estudiar y vivir la verdad de las Escrituras, encontramos que nuestras vidas son dramáticamente cambiadas.

Por muchos años, D. Martin Lloyd Jones fue pastor de una enorme iglesia en Inglaterra. Desarrolló una reputación mundial como profundo expositor de las Escrituras. En su libro, *The Christian Soldier* [El soldado cristiano], escribió:

> El diablo mantuvo a Lutero en las tinieblas, a pesar de ser un fraile. Estaba tratando de salvarse por medio de las obras. Ayunaba, se esforzaba y oraba; y aun con eso seguía sintiéndose un miserable e infeliz, y en esclavitud. Las enseñanzas supersticiosas de la Iglesia Católica Romana lo mantenían cautivo. Pero fue liberado por la Palabra de Dios, «el justo por la fe vivirá». A partir de ese momento, empezó a entender esta Palabra como nunca antes la había entendido, y mientras mejor la entendía, mejor veía los errores enseñados por Roma. Vio el error de su práctica y eso lo hizo más dispuesto a reformar la iglesia. Empezó a hacerlo mediante la exposición de las Escrituras. Los grandes doctores en la iglesia romana se alzaron en su contra. A veces tuvo que permanecer solo y enfrentarlos en duro

combate, e invariablemente se puso del lado de las escrituras. Defendió el punto que la iglesia no está por sobre las Escrituras. La medida por la cual aun la iglesia es sometida a juicio, afirmaba, es las Escrituras. Y aun cuando al principio era un hombre solo, pudo pelear contra el sistema papal y doce siglos de tradición. Lo hizo al tomar «la espada del espíritu, la cual es la Palabra de Dios».

Como lo vimos antes, en Mateo 4 y Lucas 4, en el relato de la tentación de Jesús por Satanás, cada vez que este trataba de tentarlo, Jesús le contestaba citando las Escrituras. Si para Jesús las Escrituras fue tan poderosa y la usó tan efectivamente, si los santos de antaño han encontrado las Escrituras tan poderosa y la han usado tan efectivamente, si los cristianos maduros alrededor nuestro encuentran las Escrituras tan poderosa y la usan tan efectivamente, ¿podríamos nosotros esperar vivir vidas cristianas victoriosas sin también fundar nuestras vidas sobre la espada del Espíritu?

¡Topes de velocidad!

Baja la velocidad para asegurarte que has captado los puntos principales de este capítulo.

Pregunta Respuesta

P1. ¿Qué representa la espada del Espíritu?

R1. La espada del Espíritu representa un uso ofensivo y defensivo de la *Biblia* en la guerra espiritual.

P2. ¿Cómo se usa la espada para la defensa?

R2. La espada se usa *defensivamente* al aplicar las Escrituras a cada duda, tentación y desaliento que lance contra nosotros Satanás.

P3. ¿Cómo se usa la espada ofensivamente?

R3. La espada se usa *ofensivamente* para producir cambio, para alentar el crecimiento espiritual a través de la evangelización, la enseñanza, la predicación y la consejería.

Llena los espacios en blanco

Pregunta Respuesta

P1. ¿Qué representa la espada del Espíritu?

R1. La espada del Espíritu representa un uso ofensivo y defensivo de la __________ en la guerra espiritual.

P2. ¿Cómo se usa la espada para la defensa?

R2. La espada se usa ____________________ al aplicar las Escrituras a cada duda, tentación y desaliento que lance contra nosotros Satanás.

P3. ¿Cómo se usa la espada ofensivamente?

R3. La espada se usa ____________________ para producir cambio, para alentar el crecimiento espiritual a través de la evangelización, la enseñanza, la predicación y la consejería.

Para un análisis más profundo

1. La Biblia, como un rayo láser, puede usarse con propósitos defensivos u ofensivos. Jesús citó las Escrituras a Satanás en respuesta a sus tentaciones. ¿Qué asunto te gustaría conocer más sobre poder usar la verdad para defenderte contra la tentación? ¿Cómo podrías conseguir esa información?

2. ¿Qué dolor te gustaría poder ayudar a aliviar en el mundo? ¿Cómo podrías aprender más sobre la Biblia en esa área?

3. ¿En qué área de tu vida te gustaría experimentar el mayor cambio? ¿Cuál sería el primer paso que tendrías que dar para conseguirlo, después de orar por eso?

¿Y si yo no creyera?

1. Si yo no creyera en la importancia de las Escrituras en la guerra espiritual, no sería tan dedicado en estudiar las Escrituras como necesito serlo para defenderme exitosamente contra las argucias del diablo.
2. No tendría el nivel de respeto por la Palabra escrita de Dios, lo cual fue confirmado por el propio Jesús, que necesito tener.
3. No tendría respuestas que dar a otros bajo ataque espiritual.
4. Sería presa fácil del engaño de Satanás e inefectivo para avanzar dentro de su territorio y alcanzar victorias espirituales en mi vida y en las vidas de quienes yo ministre.

Para un estudio extra

1. Las Escrituras

Varios pasajes de las Escrituras hablan de la importancia de la rectitud:

Juan 1.1
Efesios 6.17
2 Timoteo 3.16-17
Hebreos 4.12
Apocalipsis 19.13

Lee estos pasajes y piensa en la forma que podrían ayudarte a entender la importancia de la espada del Espíritu.

No todos podemos discutir, pero todos podemos orar; no todos podemos ser líderes, pero todos podemos defender; no todos podemos ser poderosos en retórica, pero todos podemos ser constantes en la oración. Más pronto te veré siendo elocuente con Dios que con los hombres.
■ **Charles H. Spurgeon**

9

¿Cómo es la oración parte de la guerra espiritual?

Durante la Guerra Civil, dos damas cuáqueras discutían los méritos y perspectivas de Abraham Lincoln y Jefferson Davis.

«Yo creo que Jefferson vencerá porque es un hombre de oración», dijo una de ellas.

«Pero Abraham es también un hombre de oración», dijo la otra.

«Sí», replicó la primera dama, «pero cuando Abraham ora, el Señor cree que está bromeando».

De la manera que Abraham Lincoln contaba sus historias humorísticas sobre él mismo muchas veces, podría provocar una reacción así en muchos de nosotros; porque a menudo cuando la gente ora, tiene la persistente sospecha que el Señor piensa que están bromeando. La realidad es que a muchos de nosotros nos cuesta orar. En uno u otro grado nos sentimos indignos e inadecuados. No estamos seguros que estemos calificados para orar. Incluso no estamos ni seguros si sabemos cómo orar.

Por otro lado, todos nos sentimos impulsados a orar. Aun los que dicen que no son muy religiosos o los que nunca han hecho un compromiso con Cristo instintivamente se encuentran agradeciendo a Dios por cosas buenas y, especialmente, buscando su ayuda en tiempos de angustia.

Como creyentes, vemos la virtud inherente en la oración y deseamos ser mejores en este aspecto. Creados por Dios para mantener compañerismo con Él, sin la oración nos sentimos vacíos. Dios nos está llamando. Nada nos satisfacerá más. Queremos acercarnos a Dios y que Él se acerque a nosotros (Santiago 4.8).

En Efesios 6 Pablo nos dice que si vamos a ser victoriosos en la guerra espiritual, debemos obedecer seis principios bíblicos descritos como seis piezas de una armadura. Luego él une estos principios con un principio sumario: orar.

¿Cómo hacemos contacto con nuestro comandante?

En la guerra espiritual, hacemos contacto con nuestro comandante a través de la oración.

Orando en todo tiempo con toda oración y súplica en el Espíritu, y velando en ello con toda perseverancia y súplica por todos los santos (Efesios 6.18).

Pablo nos da cuatro «todos» para llevarnos a entender sus instrucciones sobre la oración:

1. Con toda oración y súplica: el alcance de la oración.
2. En todo tiempo: la actitud en la oración
3. Con toda perseverancia y súplica: el fervor en la oración
4. Por todos los santos: el blanco de la oración.

El alcance de la oración. Oración viene de la palabra *proseuché,* la que se refiere a ruegos generales, mientras que petición viene de *deésis,* y se refiere a ruegos específicos. Esto incluye gracias y alabanzas a Dios, confesión de pecados, expresión a Dios de pensamientos y sentimientos de nuestra mente y corazón, oración general por cosas que hay en nuestras mentes y ruegos por cosas específicas que tienen que ver con nosotros.

La actitud en la oración. Orar en todo tiempo no quiere decir que vamos a andar por ahí con las manos levantadas o que vamos a pasar todo el tiempo sobre nuestras rodillas. Lo que quiere decir es que debemos mantenernos en una actitud de oración a lo largo de todo el día. Orar en el Espíritu significa expresarnos a Dios según la forma en que Él nos guía para hacerlo y no recitar oraciones aprendidas de memoria y que no salen del corazón. Orar en el Espíritu significa reconocer y depender del hecho establecido en Romanos 8.26-27: «Pues qué hemos de pedir como conviene, no lo sabemos, pero el Espíritu mismo intercede por nosotros con gemidos indecibles. Mas el que escudriña los corazones sabe cuál es la intención del Espíritu, porque conforme a la voluntad de Dios intercede por los santos». Orar en todo tiempo en el Espíritu quiere decir tener una actitud de sumisión a, depender de, y ser guiado por el Espíritu Santo en nuestras oraciones.

El fervor en la oración. Fervor no quiere decir que cuando oramos tengamos que alcanzar un nivel de fiebre en nuestro estado físico y emocional. En lugar de eso, Pablo está reflejando la enseñanza de Jesús en la oración y el principio de perseverancia en nuestras peticiones (Lucas 18.2-7).

La oración es nuestra línea de provisión espiritual.

El blanco de la oración. Somos miembros del Cuerpo de Cristo; por lo tanto, nos interesa lo que otros cristianos estén haciendo. Cuando Billy Graham predica en una campaña, cuando los líderes cristianos se reúnen en las Filipinas para una conferencia sobre evangelización mundial, cuando amigos, misioneros y líderes de ministerios están involucrados en la obra evangelizadora, sus actividades son importantes para nosotros. Y deberíamos orar por ellos.

Basado en esta enseñanza, Pablo pide a la iglesia de Éfeso que ore por él. Pero fíjate en su ruego. Él no pide por cosas materiales, sino que pide por valentía al testificar.

Por ellos, los efesios habrían orado, seguramente como lo habríamos hecho nosotros, porque fuera liberado de la prisión. Que Dios le diera salud; que lo consolara y le permitiera recuperar su libertad para volver a Jerusalén a vivir una vida normal.

Pero Pablo no quería eso. Él había aceptado sus circunstancias como que procedían de Dios y dijo: «Oren para que yo pueda ser un testigo efectivo para la causa de Cristo. Para eso es que estoy aquí».

¿Cómo podemos obtener respuesta de nuestro comandante?

Obtenemos respuesta de nuestro comandante cuando oramos según las pautas que nos dan las Escrituras.

En una vieja caricatura de los famosos «Peanuts» que vi hace algunos años, Lino está mirando intrigado sus manos. Llega Lucy y Lino le dice: «Acabo de hacer un importante descubrimiento teológico. Descubrí que mientras tú estás orando, si pones tus manos hacia abajo, recibes todo lo opuesto de lo que has estado pidiendo».

Muchos de nosotros hemos sospechado eso mismo desde hace mucho tiempo. Hemos mantenido nuestras manos vueltas hacia abajo y hemos estado recibiendo lo opuesto de lo que hemos estado pidiendo.

En este capítulo aprendemos que...

1. En la guerra espiritual, hacemos contacto con nuestro comandante a través de la oración.
2. Nuestro comandante contesta cuando oramos de acuerdo con las instrucciones que nos da la Escritura.
3. Alentamos una relación con nuestro comandante porque nuestra relación con Dios es aun más importante que una respuesta específica a una oración dada.

Hay un montón de cosas que no sabemos ni entendemos acerca de la oración, pero no por eso vamos a dejar de orar.

No podemos dejar que las cosas que no entendemos destruyan las cosas que sí entendemos.

Primeramente, debemos entender que Dios quiere que oremos. Él está esperando nuestras oraciones, no en la misma forma que el Servicio de Rentas Internas, con las manos en las caderas y listo para tirarnos de las orejas si no nos apresuramos a llenar nuestra declaración de impuestos, sino como un padre amoroso queriendo y esperando oír el ruego de su hijo, con un deseo ansioso de responder. Dios contesta nuestras oraciones. Dios no nos da todo lo que le pedimos; sin embargo, Él contestará *aquellas oraciones que sean dignas de ser contestadas*.

Me parece oír que me dices: «¿Pero cómo voy a saber cuáles son dignas de ser contestadas?»

Para responder esta pregunta podríamos entrar en muchos detalles, pero parecieran haber varios niveles de restricción en recibir respuesta a nuestras oraciones. Un versículo dice, simplemente, que si pedimos, recibiremos (Mateo 7.8). Punto. No hay condiciones. Tomado aisladamente, este versículo pareciera indicar que ninguna petición va a ser denegada.

Sin embargo, otros versículos agregan condiciones a nuestras peticiones. Por ejemplo, Santiago 1.6 dice que debemos «pedir en fe, no dudando nada». Juan 14.13 nos amonesta a pedir en el nombre de Jesús. Salmos 66.18 dice: «Si en mi corazón hubiese yo mirado a la iniquidad, el Señor no me habría escuchado». Y en Juan 15.7 aprendemos que debemos permanecer en Él y su Palabra debe permanecer en nosotros, y ENTONCES podemos pedir lo que querramos y nos será dado. Finalmente, vemos que Jesús oró en el Huerto de Getsemaní justo antes de su crucifixión: «Hágase tu voluntad» (Mateo 26.42). Pareciera, por lo tanto, que cuando ponemos todos juntos estos versículos, podemos ver los siguientes niveles de restricciones sobre la oración:

Nivel 1: Pide y recibirás — sin condiciones

Nivel 2: Pide en fe, sin dudar; pide sin pecados no confesados —condiciones específicas
Nivel 3: Permanece en mí y mi Palabra en ti — condición general
Nivel 4: Que se haga tu voluntad — condición final

Motivos apropiados son un prerrequisito para oraciones eficaces.

Aunque no es exhaustivo, este resumen sugiere una lista con la cual podemos analizar nuestras oraciones.

Primero, se nos hace una invitación amplia para simplemente pedir. Si no recibimos una respuesta, deberíamos chequear el nivel 2. ¿Estamos pidiendo con fe? ¿Tenemos algún pecado no confesado el cual pudiera estar impidiendo la respuesta? ¿Tiene nuestra petición algún punto de conflicto con algo en la Biblia que pudiera indicar que la respuesta no está dentro de la voluntad de Dios? ¿Estamos pidiendo con motivos correctos?

Si ese nivel pareciera no aclarar la situación, necesitaríamos pasar al nivel 3, donde podremos chequear nuestra madurez espiritual total. ¿Estamos permaneciendo en Cristo, y está su Palabra permaneciendo en nosotros? Quizás Dios está posponiendo su respuesta a nuestra petición porque Él quiere llevarnos a un más profundo caminar con Él.

Si en este nivel no entendemos mejor ni recibimos respuesta, pasemos al nivel 4, donde sencillamente oramos: «Que se haga tu voluntad». Esta es, por cierto, la oración que Jesús oró en el Huerto de Getsemaní cuando le pidió al Padre que pasara de Él esa copa (la crucifixión), agregando luego: «Pero no se haga mi voluntad, sino la tuya».

En la práctica, por supuesto, nosotros no clasificamos nuestras oraciones a este grado. Sin embargo, cuando oramos deberíamos hacer un chequeo simultáneo de todas estas cosas. Analizarlas de esta manera nos ayuda a ver si hemos pasado por alto posibles impedimentos dentro de nosotros para que Dios conteste nuestras oraciones.

A veces, sencillamente Dios retarda las respuestas a nuestras oraciones. ¿Por qué? Bueno, puede haber varias razones:

- Quizás el momento no sea el más apropiado. Él va a contestar, pero lo hará más tarde.
- Quizás necesitemos aclarar la petición. Cuando la respuesta viene, Dios quiere que seamos capaces de reconocerla. A menudo no nos damos cuenta de su respuesta porque la petición no la visualizamos con claridad en nuestras mentes.
- Es posible que Dios quiera intensificar nuestras expectativas y llamar nuestra atención al hecho que fue Él quien contestó y no la buena suerte o circunstancias naturales.
- Quizás Él quiera que profundicemos nuestra comprensión de Él y su Palabra.
- Quizás Él quiera llevarnos a una relación más profunda con Él. Lo que se consigue fácilmente, muchas veces se toma livianamente. Dios no quiere que tomemos livianamente la oración. Por lo tanto, es posible que no siempre las respuestas lleguen rápidamente.

¿Por qué cultivar una relación con nuestro comandante?

Cultivamos una relación con nuestro comandante porque nuestra relación con Dios es aun más importante que una respuesta específica a una oración dada.

La relación entre un padre y su hijo nos da una buena idea de la relación entre nuestro Padre celestial y nosotros, sus hijos. Cuando un hijo es pequeño, todavía no asimila hábitos formativos y por lo tanto es inmaduro, a menudo pide cosas absurdas e incluso cosas peligrosas. Solo quiere dulces para el almuerzo; quiere conducir el automóvil y manejar la aspiradora; le encanta correr por el medio de la calle. Un padre atento y amoroso seguramente no lo va a dejar hacer todo lo que quiera a sus dos años de edad.

A medida que crece, sus exigencias se hacen menos ridículas e imposibles. Su vida cae más dentro de la voluntad de su padre. Pero aun cuando el hijo llegue a los años de la adolescencia, el padre no podrá concederle todo lo que le pida. Algunos siguen siendo un poco bobos; otros son egoístas y manipuladores.

Cuando llega a la edad adulta, el hijo hace pocas peticiones que un padre no pueda conceder, porque las hace con un conocimiento y comprensión consistente con la voluntad de su padre. Y los hijos adultos entienden —especialmente si a su vez tienen hijos— que sus padres no les niegan las peticiones de su infancia porque no los amen, sino que las respuestas negativas tienen sus raíces en su mayor conocimiento y sabiduría.

Dios anhela que desarrollemos una relación con Él

Dios no es un Servicio Cósmico al Cliente donde las consultas y peticiones se atienden por orden de llegada y donde los formularios deben llenarse apropiadamente. Visualicemos a Dios como Él realmente es: nuestro Padre celestial que nos ama y que quiere lo mejor para nosotros en toda su soberana sabiduría y quien responde o no según su voluntad y todo conocimiento superiores. Esta visión correcta de Dios nos mantiene firmes en tiempos cuando experimentamos una sensación de fracaso o dudas o desaliento porque nuestras oraciones no reciben contestación en la forma y en el tiempo que nos gustaría.

Si nos acercamos a Dios con este entendimiento, en lugar de creer que es algo así como una máquina a la que le echamos una moneda y nos entrega una bebida gaseosa y a la que a veces estamos tentados de golpear o sacudir cuando no nos da lo que le pedimos («¿Qué pasa con esta *cosa* que no funciona?»), podemos decir a Dios como queremos que los hijos maduros digan a su padre amoroso, «Supongo que a estas alturas de mi vida pedir no sea lo más adecuado, así es que acepto tu negativa».

Lo fundamental en la oración es que Dios quiere mantener una relación con nosotros. Ese es su mayor deseo. Él rechaza cualquier actitud nuestra que pretenda hacerlo funcionar como una ecuación para conseguir lo que queremos. Las fórmulas no funcionan. La única cosa que funcionará es acercarnos personalmente a Él. Al hacerlo, nuestras peticiones cambiarán porque nos conformaremos más y más a sus prioridades y propósitos.

Por eso es que nadie puede entender completamente la oración cuando se comunica a otros como un *sistema*. Al orar, se crea una dimensión íntima y muy personal. No se trata de un sistema. Son tú y Dios solos en un cuarto, ambos queriendo lo mejor para ti, y tú aprendiendo a confiar y a seguirlo a Él. Solo conociendo mejor su mejor voluntad la oración empezará a tener sentido.

Por qué necesito saber esto

Si es verdad que solo podemos ser fuertes en el Señor (Efesios 6.10), entonces Él, no una técnica o ecuación, es nuestra fuerza en la guerra espiritual. Por lo tanto, el compañerismo con Él es de suprema importancia. Es Él quien nos protege, guía y capacita. Por lo tanto, tendríamos que ser muy insensatos para intentar entrar a la guerra confiados en nuestras propias fuerzas.

¡Así es que ora! Ora aunque sea malamente. Ora lo mejor que puedas. No dejes que lo que no entiendes sobre la oración te impida orar. Y no dejes que lo que no entiendes sobre la oración destruya lo que entiendes. *¡Ora!* Con el tiempo, Dios te guiará a un completo entendimiento.
Recuerda:

- Podemos orar a Dios porque Cristo nos ha hecho aceptables ante Él. Somos completamente libres de entrar al Lugar Santísimo (una metáfora para adorar y orar directamente a Dios) sin temor gracias al sacrificio de la sangre y cuerpo de Jesús que abre el acceso que nunca será negado (Hebreos 10.19-22). Así es que podemos venir

a Dios con un corazón sincero y una fe segura porque hemos sido limpiados y hechos libres de culpa.
- Porque Dios conoce todo, podemos ser completa y cabalmente sinceros ante Él y saber que seremos aceptados, comprendidos y ayudados.
- Cuando sufrimos, Dios sufre. Por lo tanto, no podemos acusarlo de que no se interesa o que está demasiado lejos cuando nuestras oraciones por alivio no son contestadas.
- Para orar efectivamente, debemos conocer la voluntad de Dios. Para conocer su voluntad, debemos conocer su Palabra y ser obedientes a ella.
- Gratitud debería ser nuestra actitud cuando oramos por todo lo que Dios hace por nosotros.
- Aprender a orar bien toma tiempo.

Conclusión

A menudo me sorprende ver cómo a los perros les gusta absolutamente hacer aquello para lo cual fueron criados. A los perros que cazan pájaros, ponlos en la camioneta y empieza a manejar hacia el campo y ellos se estremecerán de contentos. Los perros que tiran trineos viven para eso. Ladran y aúllan cuando los van a uncir a los arneses. Y cuando el látigo chasquea y oyen la voz de su amo gritándoles «¡Mush!» su excitación es indescriptible. Cuando estos perros hacen aquello para lo cual fueron creados, se llenan de gozo.

Así ocurre también con nosotros. Dios nos creó para que tuviéramos compañerismo con Él. Cuando hablamos con Él en oración, sentimos un gozo y satisfacción tan profundos que nada puede comparársele. La oración es nuestra fuente directa y conexión con su poder. Es nuestro acceso a su dirección y paz. Es un anhelo que nada más podrá satisfacerlo. Pocos lo han expresado en la forma en que lo dijo Charles Haddon Spurgeon, el gran predicador del siglo pasado:

> La oración es el ceceo del creyente recién nacido, el grito del creyente en batalla, el responso de los santos que

mueren pero que duermen en Jesús. Es la respiración, el santo y seña, el consuelo, la fuerza y el honor de un cristiano *(Morning and Evening*, Enero 2, Mañana).

Dios nos creó para la eternidad con Él, que es donde se encuentran guardadas nuestra herencia y nuestra riqueza. Así, en este mundo nunca-suficiente, debemos recordar siempre quienes realmente somos y dónde realmente está nuestra verdadera riqueza, propósito, amor y poder.

Ray Stedman, pastor muy conocido y amado, sabía esto bien. Un año antes de su muerte en 1992, predicó estas palabras:

> El mundo nos dice, si no lo haces ahora, no volverás a tener una segunda oportunidad. He visto ese malentendido llevando a la gente a abandonar sus matrimonios después de treinta ó cuarenta años y salir corriendo con otro u otra, por lo general más joven, pensando que así van a poder cumplir sus sueños porque sienten que la vida se les está yendo. Los cristianos no piensan de esa manera. Esta vida es una escuela, un período de entrenamiento donde se nos está preparando para algo que es increíblemente más grande pero que está aún por ocurrir. Yo no entiendo todo lo que está comprendido en esta idea, pero sí lo creo, y a veces me cuesta esperar que ocurra. No sucumbamos a la filosofía que tenemos que tenerlo todo ahora o nunca tendremos una nueva oportunidad. Tú puedes carecer de una gran cantidad de cosas ahora y sentirte contento porque sabes que lo que Dios te ha mandado ahora es exactamente lo que necesitas para estar listo cuando esta vida se acabe. («Ready for Something Tremendous» [Listo para algo tremendo]. Usado con permiso.)

¡Topes de velocidad!

Baja la velocidad para asegurarte que has captado los puntos principales de este capítulo.

Pregunta Respuesta

P1. ¿Cómo hacemos contacto con nuestro comandante?

R1. En la guerra espiritual, hacemos contacto con nuestro comandante mediante la *oración*.

P2. ¿Cómo obtenemos respuesta de nuestro comandante ?

R2. Obtenemos respuesta de nuestro comandante cuando oramos según las *pautas* que nos dan las Escrituras.

P3. ¿Por qué debemos cultivar una relación con nuestro comandante?

R3. Debemos cultivar una relación con nuestro comandante porque nuestra *relación* con Dios es aún más importante que una respuesta específica a una oración dada.

Llena los espacios en blanco

Pregunta Respuesta

P1. ¿Cómo hacemos contacto con nuestro comandante?

R1. En la guerra espiritual, hacemos contacto con nuestro comandante mediante la ____________.

P2. ¿Cómo obtenemos respuesta de nuestro comandante?

R2. Obtenemos respuesta de nuestro comandante cuando oramos según las ____________ que nos dan las Escrituras.

P3. ¿Por qué debemos cultivar una relación con nuestro comandante?

R3. Debemos cultivar una relación con nuestro comandante porque nuestra ___________ relación con Dios es aun más importante que una respuesta específica a una oración dada.

Para un análisis más profundo

1. ¿Ha habido oraciones que has hecho a las cuales Dios no ha dado respuesta? Si tal ha sido el caso, ¿estás ahora contento que Él no las haya contestado? ¿Qué te dice eso respecto de oraciones futuras?
2. ¿A qué se parecería la vida si Dios siempre contestara las oraciones de cada uno?
3. ¿Cuán importante es la oración en tu vida? Cuándo, por qué y cómo oras? ¿Qué te dice esto a ti?

¿Y si yo no creyera?

1. Me sentiría solo, con la impresión de que voy por la vida sin la compañía de nadie.
2. Sería impotente y errático en la guerra espiritual.
3. Sería fácil blanco de los engaños de Satanás.

Para un estudio extra

1. Las Escrituras

Varios pasajes de las Escrituras nos hablan de la importancia de la oración:

- Lucas 11.1
- Romanos 12.12
- Efesios 6.18
- Filipenses 4.6-7
- 1 Tesalonicenses 5.17

Lee estos pasajes y piensa cómo te ayudarían a entender mejor la importancia de la oración.

Somos criaturas indiferentes que jugamos con la bebida el sexo y la ambición, aunque se nos ofrece gozo infinito, como un niño ignorante que insiste en seguir haciendo queques de barro en un pobre caserío porque no se puede imaginar lo que significa un día en el mar. Nos conformamos con tan poco.

■ **C.S. Lewis**

10

¿Qué es nuestra nueva identidad en Cristo?

Hoy día, la gente se gasta fortunas por descubrir quiénes son. Coordinan sus colores por fuera y se sicoanalizan por dentro. En busca de su identidad, regresan a sus primeros recuerdos y aun van más allá. Esto, por supuesto, no sorprende a nadie. Es el anhelo natural del corazón, la búsqueda del alma humana de Dios. ¡Anhelamos saber quiénes realmente somos!

Esto es así incluso en los cristianos. No entendemos quiénes somos y qué hemos llegado a ser. No nos vemos como nos ve Dios. En vez de aceptar y comprender quiénes llegamos a ser en Cristo, nos identificamos con la persona que estamos acostumbrados a ser. Por eso debe imprimirse en nosotros la identidad apropiada. Si no, seremos como el pato que creía que era perro.

Suena como una caricatura de Disney o una historia del Dr. Seuss ¿no te parece? Pero la cosa no es tan divertida. Las impresiones ocurren en la vida real.

Impresiones. El diccionario las define como «un proceso de aprendizaje rápido que tiene lugar al comienzo de la vida de un animal social y que fija un patrón de conducta como reconocimiento de y atracción a su propia clase o a un sustituto». Los patos, por ejemplo, se acercan a la primera cosa que ven después que salen del cascarón. Normalmente esto funciona muy bien porque la primera cosa que ven es por lo general la mamá pata. Se reúnen en torno de ella y empiezan a pensar y a actuar como ella. Eso está bien. Son como ella. Son patos.

A veces, sin embargo, esta adhesión temprana suele resultar un poco extraña, como el patito que nació bajo la atenta mirada del perro *collie*. Lo primero que el patito vio fue el perro y de inmediato se estableció un vínculo. El patito echó una mirada al *collie* y decidió que él también era *collie*. Siguió viviendo cerca del perro, corría a él buscando protección, pasaba las horas más calientes del día junto con el perro en el corredor exterior de la casa, y por las noches dormía con él. Después que el patito hubo crecido, por lo general actuaba como un pato excepto porque pasaba las horas más calientes del día en el corredor exterior de la casa. Y cuando llegaba un automóvil, el pato interrumpía lo que estuviera haciendo para salir graznando excitadísimo y correr a picotearle las ruedas. Después de todo, era lo que el «otro» perro hacía.

El pato tenía un problema de identidad. No se veía como un pato; se veía como un *collie*. Por supuesto eso no cambiaba el hecho que se trataba de un pato. Por eso, a veces actuaba como un pato y a veces como un perro.

Las impresiones establecen la identidad.

Este tipo de confusión se ve en una forma aun más dramática en los casos de niños que se han criado con animales salvajes. En los últimos varios cientos de años ha habido cincuenta y tres casos documentados de «niños salvajes»; es decir, niños que se han perdido en la montaña y han sobrevivido gracias a que fueron alimentados, protegidos y cuidados por animales salvajes como lobos, osos, antílopes, monos y cerdos.

La edición de enero/febrero de 1987 de la revista *Sierra* cuenta la historia del «Niño salvaje de Uganda», un «niño mono» que fue encontrado en la jungla de Uganda y se cree que vivió con una tribu de monos por lo menos cinco años. El niño, que se calcula que por el tiempo de su descubrimiento tendría entre cinco y seis años fue llevado a un orfanatorio donde gruñía, chillaba, brincaba agarrado de sus manos y prefería comer pasto. Parecía tenerle miedo a la gente y trataba de arañar a quien se le aproximara.

Otro ejemplo es el de un niño en el sur de Marruecos que de alguna manera llegó a ser parte de un rebaño de antílopes. El «niño antílope» vivía con los antílopes, comía pasto con ellos, bebía de las mismas pozas de agua y corría como un antílope. Se hicieron varios intentos para capturarlo pero todo fue inútil. Se le vio viviendo en ese habitat por unos diez años.

Quienes han estudiado a los niños salvajes determinan que si un niño vive con animales más allá de los cuatro a seis años, no se le puede recuperar para que sea un humano con un funcionamiento normal. Estos niños reciben impresiones en sus cerebros que son indelebles y permanentes y que los hacen actuar como animales. Pierden su identidad humana. No entienden que son humanos, no animales. Y los resultados son trágicos.

Aunque estos son ejemplos extremos y raros, algo similar ocurre con nosotros. La Biblia enseña que todos hemos nacido con la huella del pecado. Los teólogos llaman a esto «depravación total». Esto no sigifica que no podemos hacer el bien, pero eso no nos impide hacer el mal. Debido a este pecado con el que hemos nacido, estamos separados de Dios y no podemos corregir la situación por nosotros mismos. Solo Dios puede. Él ofrece salvación por gracia a través de la fe en Jesucristo (Efesios 2.8-9). Cuando creemos en Cristo y lo recibimos como nuestro Salvador (Juan 1.12), nacemos de nuevo (Juan 3.6-7). Llegamos a ser hijos de Dios. Ya no somos más lo que éramos. La Biblia proclama «De modo que si alguno está en Cristo, nueva criatura es; las cosas viejas pasaron; he aquí todas son hechas nuevas».

Aun con eso, sin embargo, sufrimos de cierta impresión espiritual negativa. Todos hemos crecido en un mundo caído, y las actitudes, valores y hábitos que vemos en el mundo tendemos a hacerlas parte de nuestra conducta. Estos viejos patrones de pensamiento ejercen una fuerza retardataria sobre nosotros, aun como nuevas creaciones en Cristo. Como resultado, demasiado a menudo no nos vemos como nuevas creaciones. Somos influenciados más de lo necesario para continuar pensando, sintiendo y actuando como lo hacíamos antes de llegar a ser cristianos. El mundo, la carne, y el diablo actúan en nuestra vieja manera de pensar, engañándonos para continuar como lo hacíamos antes que viniéramos a Cristo, no dejándonos vivir nuestra nueva vida en Cristo. Somos patos actuando como perros. En lugar de sumergirnos en las lagunas de azules y claras aguas, sacudirnos las algas marinas y alisar nuestras plumas, nos dedicamos a picotear ruedas de carros o a perseguir a los gatos.

¿Cómo nos ve Dios?

Dios nos ve en Cristo, habiendo nacido de nuevo en justicia y verdadera santidad en espíritu, esperando nuestra adopción completa, la redención de nuestros cuerpos.

Afortunadamente, las impresiones que nosotros recibimos no son permanentes como las del pato o del niño mono. Podemos ser cambiados. Podemos empezar a actuar más consistentemente con nuestra verdadera identidad. Dios ha prometido cambiar la mente voluntaria y trabajar sobrenaturalmente desde adentro de nosotros para completar el cambio (Filipenses 2.12-13). De hecho, este es nuestro más grande cambio como creyentes.

¿Cómo, entonces, encontramos nuestra verdadera identidad? Empezamos por vernos como Dios nos ve. En su carta a los efesios, el apóstol Pablo nos ayuda con eso. Fíjate cómo Pablo se dirige a estos cristianos comunes y corrientes, gente como tú y como yo. Él llama a estos cristianos comunes y corrientes «santos»: «Pablo, apóstol de Jesucristo por la voluntad de Dios, a los *santos* y fieles en Cristo Jesús que están en Éfeso» (Efesios 1.1, cursivas añadidas).

Todos los cristianos son santos, en el sentido bíblico de la palabra. «Santo» viene de la palabra griega *hagios*, que significa «puesto aparte para Dios». No quiere decir necesariamente un estilo de vida santo, tal como la Madre Teresa. Simplemente implica que un cristiano, quien sea que haya creído en y recibido a Cristo como su salvador personal, es un santo. Si eres cristiano —si crees en Cristo y has comprometido tu vida a Él— has sido puesto aparte para Dios. Eres *hagios*. Eres un santo, y lo que el Señor dice a los creyentes efesios a través de Pablo te lo está diciendo a ti también.

¿Qué dice Pablo a los creyentes de Éfeso? Primero, usa una frase que es tan importante que la emplea veintisiete veces, a veces sola y a veces relacionada con otras frases. La frase es, «en Cristo». Y si vamos a entender cómo nos ve Dios, tenemos que entender qué quiere decir estar «en Cristo».

Con nuestras mentes limitadas no siempre es fácil, así es

que quizás ayude una analogía. Sustituye la palabra *Congreso* por Cristo. Si fueras un senador o un representante, diríamos que «perteneces al Congreso». ¿Qué significaría eso?

Si «perteneces al Congreso», has sido elegido a esa posición con el debido proceso de ley. Todo el poder, privilegios y responsabilidades de tal posición son tuyos. Eres un miembro del Congreso. Tienes un lugar allí. Eres aceptado allí. Llegaste allí por medios requeridos, así que eres digno de estar allí. Cuando entras a las cámaras congresionales, nadie mueve la cabeza en señal de sorpresa. Nadie dice: «¿Qué está haciendo usted aquí?» ¿Por qué? Porque tú perteneces allí.

Debemos entender lo que quiere decir estar «en Cristo».

Estar «en Cristo» significa que tú perteneces a Cristo. Has sido electo por Dios. Todos los poderes, privilegios y responsabilidades de tal posición son tuyos. Eres un miembro de su cuerpo. Tienes un lugar allí. Eres aceptado allí.

En este capítulo aprendemos que...

1. Dios nos ve en Cristo, habiendo nacido de nuevo en justicia y en verdadera santidad en espíritu, esperando nuestra completa adopción, la redención de nuestros cuerpos.
2. Nuestra respuesta debería ser gratitud y obediencia.

Llegaste allí a través de medios requeridos (la bondad de Dios expresada a través de Cristo), por lo tanto, eres digno de estar allí. Cuando entres al cielo, nadie moverá la cabeza en señal de sorpresa. Nadie dirá: «¿Qué está haciendo usted aquí?» ¿Por qué? Porque tú perteneces allí.

Como estamos tratando con cosas infinitas, tenemos que ir más allá de esta analogía finita. Porque a pesar que no hay misterio sobre el Congreso... bueno, no, excepto cómo se las arreglan para hacer todo lo que hacen, algo relacionado con lo espiritual está siempre un poco más allá de nuestra capacidad natural de entender las cosas. Y mientras un miembro del Congreso está solo asegurado hasta la próxima elección, estar «en Cristo» significa que todo lo que es suyo es nuestro para siempre. Jesús no tiene que aspirar a una reelección. Así como Él es santo y justo, de igual manera nosotros somos santos y justos en Él. ¡Toda su santidad, justicia, bondad, gloria, poder y riquezas son nuestros!

«Un momento», quizás digas tú. «Aquí hay algo que no encaja. Yo no me siento ni santo, ni bueno, ni glorioso, ni poderoso ni rico. De hecho, solo entre tú y yo, yo no soy siempre bueno. Yo hago cosas feas. Soy egoísta, y a veces sé que estoy haciendo algo malo pero de todos modos lo hago. Lo que tú estás diciendo puede ser verdad en cuanto a otros cristianos, pero no en cuanto a mí. Algo anda mal conmigo».

Sé como te sientes. Este sentimiento negativo de algo-anda-mal-conmigo es común entre los cristianos. Pero este entendimiento es fundamental para entender lo que quiere decir estar en Cristo, es fundamental para sobreponernos a las impresiones espirituales negativas del mundo e identificarnos con quien realmente somos: estamos *en Cristo,* o, para usar la idea del Congreso, *pertenecemos a Cristo.*

Esto significa que Dios nos ve a través de la justicia de Cristo. Satisfecho con Cristo, está satisfecho con nosotros porque estamos en Cristo. Una vez que aceptamos su oferta de salvación, ya nuestra identidad no depende de lo que somos sino que depende de lo que Él es. Estamos seguros en el amor de Dios porque nuestro estar en Cristo es

Su voluntad, no la muestra (Efesios 1.5)
Su gracia, no la nuestra (Efesios 1.6-7)
Su beneplácito, no el nuestro (Efesios 1.9)
Su propósito, no el nuestro (Efesios 1.11)
Su poder, no el nuestro (Efesios 1.12,14)
Su llamado, no el nuestro (Efesios 1.18)
Su herencia, no la nuestra (Efesios 1.18)
Su amor, no el nuestro (Efesios 2.4)
Su hechura, no la nuestra (Efesios 2.10)

«Pero yo no merezco eso», dirás tú. Y si te estás refiriendo a méritos personales, tienes razón. Tú no te mereces nada de eso. Las Escrituras nos dicen que lo que nosotros merecemos es el infierno, la separación eterna de Dios contra quien nos hemos revelado. Pero también nos dice que Dios nos tiene en gran estima. Dios nos ama tanto que envió a lo más precioso que tenía, a su Hijo unigénito, Jesús, para que Él recibiera lo que nosotros merecíamos por su muerte por nosotros. Debido a que libremente Dios decide tenernos en tan grande estima debemos confiar en su evaluación de nosotros como valedera: creados a su imagen y creados de nuevo por el nuevo nacimiento a nueva vida en Cristo.

Al empezar a visualizar un cuadro real de quienes realmente somos y cómo realmente Dios nos ve, la luz comienza a brillar en nuestro oscurecido entendimiento. Entonces empezamos a dar vida a nuestra imagen a través de actuar más consistentemente con lo que hemos realmente llegado a ser. Esta realización nos impulsa a ser más como Dios y menos como el mundo. Nuestra garantía de esta aterradora verdad es la frase «en Cristo».

Lo que Cristo tiene, lo tenemos. Somos «coherederos» con Él (Romanos 8.17). No se avergüenza de llamarnos hermanos y hermanas (Hebreos 2.11). Lo que Cristo posee, lo poseemos; una herencia incorruptible e inmarcesible que no se desvanecerá jamás, reservada en los cielos para nosotros (1 Pedro 1.4). Y Dios «nos bendijo con toda bendición espiritual en los lugares celestiales en Cristo» (Efesios 1.3).

Es posible que en este punto estés diciendo: «Yo no siento todas esas bendiciones». Lo mismo decía yo. Pienso que como cristiano yo debí de haber tenido un continuo sentido de estar siendo bendecido, pero ni siquiera estaba seguro de lo que eran las bendiciones. He aprendido, sin embargo, que Pablo no dejó eso a nuestra imaginación. Él enumeró nuestras bendiciones espirituales en Cristo en los siguientes varios versículos de Efesios capítulo 1:

Cuando nos vemos como Dios nos ve en Cristo, podemos sentirnos aliviados y *gozarnos en Dios.*

- Nos escogió para que seamos santos y sin mancha (1.4).
- Nos predestinó para adopción (1.5).

- Voluntariamente nos otorgó su gracia (1.6).
- Nos redimió y perdonó nuestras transgresiones (1.7).
- Nos dio una herencia (1.11).

Para obtener un sentido más personal de lo que significa esto, lee estas verdades como afirmaciones personales.

- Soy escogido por Dios.
- Soy santo y sin mancha delante de Él.
- Soy adoptado a través de su Hijo.
- Soy un receptor de su gracia, su bondad generosa.
- Soy redimido.
- Soy perdonado de todos mis pecados.
- He recibido una herencia.

¿Cuál debería ser nuestra actitud ante nuestra nueva identidad en Cristo?

Nuestra actitud debería ser de gratitud y obediencia.

Todo lo que Dios nos pide es para nuestro bien. Así, cuando somos tentados a ser deshonestos o faltos de ética o inmorales o perezosos o egoístas, Dios dice: «¡No lo hagas! ¡Solo te traerá problemas! Recuerda quién eres. Recuerda tu identidad. Tú ya no perteneces al mundo. Tú estás en Cristo. No hagas estas cosas no solo por mí, sino por ti. Yo odio el pecado porque te amo a ti. Y el pecado te causa daño».

Por qué necesito saber esto

Todos tratamos de actuar consistentemente con la forma en que nos vemos. Si tenemos una opinión muy baja de nosotros, no estamos listos para vivir según las expectativas que Dios tiene para nosotros. Y subestimamos lo que Dios puede querer hacer en nosotros y a través de nosotros.

Cuando entendemos quiénes somos, empezamos a actuar como somos, no como éramos. Y cuando nos vemos como Dios nos ve en Cristo, podemos sentirnos aliviados y gozarnos en Dios. Ciertamente todavía hay trabajo por hacer, responsabilidades que asumir, reverencia que mantener. Pero como nos lo recuerda el Catecismo de Westminster: «El fin principal del hombre es glorificar a Dios y gozarse en Él para siempre». Mientras no disfrutemos a Dios no habremos entrado en la plenitud de lo que Él quiere darnos en Cristo.

En *Desiring God* [Desear a Dios], John Piper escribe:

1. El anhelo de ser feliz es una experiencia humana universal, y es buena, no es pecaminosa.
2. Nunca deberíamos tratar de negar o resistir nuestro anhelo de ser felices como si fuera un impulso malo. En lugar de eso deberíamos tratar de intensificar este anhelo y alimentarlo con lo que sea que provea una satisfacción más profunda y duradera.
3. La felicidad más profunda y duradera se encuentra únicamente en Dios.
4. La felicidad que encontramos en Dios alcanza su consumación cuando es compartida con otros en las múltiples formas del amor.
5. En el caso en que tratemos de abandonar la búsqueda de nuestro propio placer, estaremos dejando de honrar a Dios y amar a los demás. O, para ponerlo positivamente: la búsqueda del placer es una parte necesaria de toda adoración y virtud. Es decir,

   El fin principal del hombre es glorificar a Dios
   mediante
   disfrutarlo a Él para siempre.

A menudo, muchos cristianos sinceros y bien intencionados dicen: «No entiendo por qué Jesús tuvo que morir por mí». Déjenme decirles, respetuosamente, que esa es una actitud inspirada en las obras, no en la gracia. No logra comprender la decisión de Dios de crearnos y valorizarnos tan alto: Él nos creó —a toda la humanidad— a su imagen, y cuando nacemos de nuevo, nos pone en Cristo. Este punto de vista también falla al no comprender el propósito fundamental de Dios al crearnos, como J.I. Packer ha escrito, «para hacer efectiva una relación en la cual Él es un amigo para nosotros y nosotros para Él, en la cual Él halla su gozo en darnos dones y nosotros encontramos nuestro gozo en darle a Él gracias» *God Has Spoken* [Dios ha hablado]). Dios envió a Cristo a morir por nosotros precisamente porque nos ama y desea tener una amistad eterna con nosotros. Entonces, cuando vemos el precio que Dios libremente pagó para transformar a rebeldes como nosotros en sus amigos, tenemos seguridad de nuestra valía inherente, infinita y dada por Dios.

Debemos dejar de vernos como patos o perros o monos, o hijos del mundo. ¡Somos hijos de Dios! Debemos empezar a vernos como Dios nos ve y entrar en su gozo, en su gloria. Te reto a aceptar lo que Él está prometiendo darte. Te reto a que aceptes las riquezas que son nuestras porque estamos en Cristo.

Conclusión

Si estas cosas son verdad, observemos algunas cosas:

1. Gracias a la obra llevada a cabo por Cristo en la cruz, nuestra liberación de los poderes del mal ya se ha alcanzado (Efesios 1.15-23).
2. Arrepentimiento y obediencia son la clave para vivir en victoria sobre las fuerzas de las tinieblas, las cuales Cristo ya ha puesto a disposición de nosotros (Efesios 2.1-10).
3. Debemos dejar de percibirnos como malos. Hay ocasiones en que hacemos algo malo, pero no somos personas malas (Efesios 4.24).
4. Nosotros vivimos eternamente y tenemos seguridad eterna (Efesios 1.13-14).

5. Hemos sido sacados del reino de las tinieblas y puestos en el reino de la luz (Colosenses 1.13-14).
6. Compartimos en Cristo la naturaleza divina (2 Pedro 1.4).
7. Podemos tener victoria sobre el pecado y los poderes de las tinieblas (Romanos 6.1-11).
8. Podemos ganar la batalla sobre nuestra mente (Romanos 12.1-2; 2 Corintios 10.3-5).
9. Cristo tiene toda autoridad en el cielo y en la tierra. Nosotros estamos en Cristo. Por lo tanto, Cristo ejerce su autoridad en nuestro favor (Mateo 28.18; Efesios 6.12-13).
10. Yo soy una nueva creación. Las cosas viejas pasaron. ¡Todas las cosas han sido hechas nuevas! (2 Corintios 5.17).

Si vamos a ser victoriosos en la batalla espiritual, uno de los ingredientes clave es vernos como Dios nos ve. Todos tendemos a actuar consistentemente con la forma en que nos vemos. Esa es la razón por qué niños que crecen en hogares bien constituidos por lo general son más exitosos que niños que proceden de hogares negligentes, carentes de afecto o abusivos. Si nos sentimos insuficientes, inferiores, inseguros, tendemos a actuar así, afectando nuestras relaciones y logros. Si nos sentimos suficientes, aceptados y seguros, tendemos a actuar así, contribuyendo positivamente al bien de nuestras relaciones y logros.

Por eso es que es tan importante que nos veamos como Dios nos ve. Si nos vemos como hijos de Dios, con un valor dado por Dios inherente e infinito, amados sin medida y sin fin, camino de una eternidad de gloria, fe, esperanza, amor, paz y gozo, tendemos a actuar en concordancia con esto.

¡Topes de velocidad!

Baja la velocidad para asegurarte que has captado los puntos principales de este capítulo.

Pregunta Respuesta

P1. ¿Cómo nos ve Dios?

R1. Dios nos ve *en Cristo*, habiendo nacido de nuevo en justicia y verdadera santidad en espíritu, esperando la completa adopción, la redención de nuestros cuerpos.

P2. ¿Cuál debería ser nuestra reacción a nuestra nueva identidad en Cristo?

R2. Nuestra reacción debería ser *gratitud* y obediencia.

Llena los espacios en blanco

P1. ¿Cómo nos ve Dios?

R1. Dios nos ve ____________, habiendo nacido de nuevo en justicia y verdadera santidad en espíritu, esperando nuestra completa adopción, la redención de nuestros cuerpos.

P2. ¿Cuál debería ser nuestra reacción a nuestra nueva identidad en Cristo?

R2. Nuestra reacción debería ser ____________ y obediencia.

Para un análisis más profundo

1. Antes de leer este capítulo, ¿cómo te veías a ti mismo? ¿Qué impresiones negativas habías experimentado?
2. Al aprender cómo nos ve Dios, ¿cómo te ves ahora?

3. ¿Qué le dirías a una persona que te dice: «Yo no entiendo por qué Jesús tuvo que morir por mí»?

¿Y si no creyera?

1. Si yo no creyera en mi nueva identidad en Cristo, debería ignorar o dejar de creer en grandes porciones de las Escrituras que me describen como una nueva creación.
2. Tendería a vivir como me veo, lo cual iría contra el éxito en mis relaciones y logros tanto temporales como eternos.
3. Tendría un impacto limitado en otros que pudieran estar sufriendo con los mismos problemas que los míos

Para un estudio extra

1. Las Escrituras

Varios pasajes de las Escrituras hablan de la importancia de nuestra nueva identidad en Cristo:

- Romanos 6–7
- 2 Corintios 5.17
- Efesios 1.1-14
- Efesios 4.24

Lee estos pasajes y piensa cómo ellos te pueden ayudar a entender la importancia de la justicia.

Una buena conciencia es una Navidad permanente.
■ **Benjamín Franklin**

11

¿Cómo podemos tener una conciencia clara y derribar fortalezas espirituales?

Paul Tournier, un siquiatra cristiano, acostumbraba contar una historia sobre él mismo y un amigo suyo, sacerdote católico. Decía que su amigo era una de las personas naturalmente mejor ajustadas que él hubiera conocido. Creció en un hogar piadoso, mientras fue joven nunca se rebeló y sirvió al Señor como sacerdote con dedicación sincera, sacrificio y gozo constante. Él, por el contrario, durante toda su vida libró batallas de fe en su ser interior. Mientras su amigo sirvió al Señor con una considerable fuerza, él lo hizo con una tremenda debilidad.

El comentario de Tournier me habló muy fuerte, porque su anécdota apunta a la relación que yo tengo con un íntimo amigo quien es también pastor. Creció en un hogar piadoso, siendo joven nunca se rebeló, y con regularidad exhibía en su vida los frutos del Espíritu a la vez que un importante ministerio. Es una persona tranquila, fácil de llevar y resuelta, sirviendo al Señor con una fuerza considerable mientras que yo, como Tournier, sirvo al Señor desde mi tremenda debilidad.

Una de mis tremendas debilidades se manifestó en una forma humillante y muy dolorosa cuando estaba en el seminario. Cuando cursaba el segundo año hice fraude en el examen final de Hebreo. Por supuesto, eran circunstancias extenuantes (¿no es siempre así?). Debido a que me había sobre comprometido a hacer una cosa buena, cerca del final del semestre me había quedado atrás en mis estudios. Di por sentado que el Señor conocía la situación porque había tenido que ayudar a alguien a salir de un problema. Sin aprobar el examen final de Hebreo no podía aprobar el curso, porque pasar Hebreo era una exigencia sin importar cuán bueno haya sido antes. Si no pasaba el curso, tendría que repetirlo (ya que era un curso requerido para graduarse), lo que me obligaría a permanecer en el seminario por un año más. ¡Ni pensarlo! Así es que decidí hacer fraude. De tanto en tanto echaba furtivas miradas al examen de un buen estudiante sentado cerca de mí. Fue suficiente como para pasar aunque no suficiente como para obtener una «A», como pudo haber sido. El *mundo* me excusaría. Yo *me excusé*. Pero *Dios* no me excusó.

En este capítulo aprendemos que:

1. Una clara conciencia está libre de culpa, no porque nunca hayamos pecado, sino porque respondemos bíblicamente a nuestro pecado.
2. Podemos tener una clara conciencia al arrepentirnos de pecados conocidos, perdonando a quienes nos han hecho mal y buscando el perdón de aquellos a quienes nosotros hemos hecho mal.
3. Podemos proteger nuestra conciencia de las malas influencias arrepintiéndonos de y renunciando a cualquiera cosa que estemos haciendo o hayamos hecho en el pasado que nos haya hecho vulnerables a la influencia demoníaca.

Algún tiempo después, asistí a un seminario en el cual el profesor habló de la necesidad de tener una conciencia limpia para poder tener autoridad moral. «Si tu conciencia te acusa de tus propios pecados», dijo el profesor, «nunca tendrás la autoridad moral para ayudar a otros a vivir vidas santas». Tenía sentido. Empecé a sudar. El examen se me proyectó como un tren de carga viniendo hacia mí desde el otro lado de un túnel. *¿A qué hora se me ocurrió venir a este estúpido seminario?* El sentimiento de culpa me aplastó con su peso. No había alivio. Como dijo David en los Salmos: «Se envejecieron mis huesos ... se volvió mi verdor en sequedades de verano» (Salmo 32.4).

El profesor dijo que necesitábamos hacer una lista de todas las personas que el Señor trajera a nuestra mente y que necesitáramos perdonar y a otras a quienes necesitáramos pedir perdón. Mi profesor de Hebreo encabezó la lista. No podía imaginarme que tuviera que ir y confesarle mi pecado. ¿Qué pensaría de mí? ¿Qué me haría? ¡Me podría hacer expulsar de la escuela!

A medida que los días pasaban, el dolor de la culpa creció tanto que fue preferible verme confesando mi pecado al profesor y afrontando las consecuencias que seguir viviendo en esas condiciones. La carga era tan pesada que fui a ver al profesor, le confesé mi pecado, y le pedí si podía perdonarme. Fue muy generoso, me perdonó y me aplicó un castigo justo. Salí de su oficina con una sensación de libertad y gozo difícil de describir. Pocas veces había experimentado libertad más maravillosa.

Habría sido lindo si ese hubiese sido el único pecado que tenía que confesar, pero durante el seminario, el Señor trajo a mi mente una página completa de personas a las que tenía que perdonar o pedirles perdón. Fue una de las experiencias más duras de mi vida, pero cuando tracé una raya sobre el último nombre en la lista, sentí una libertad como nunca antes había sentido. He mantenido esta libertad (aunque no perfectamente) porque cada vez que el Señor ha traído a mi mente un pecado con el que he tenido que contender, sea perdonar o pedir perdón, siempre lo he hecho. Así puedo predicar, enseñar y compartir mi fe con convicción porque mi conciencia no me acusa. Tiemblo al pensar en la chatarra moral que estaría enmoheciéndose y corrompiéndose en el fondo de mi corazón si no hubiera aprendido esta verdad crítica temprano en mi experiencia cristiana.

¿Qué es una conciencia clara?

Una conciencia clara es una conciencia libre de culpa, no porque nunca hayamos pecado, sino porque hemos respondido bíblicamente a nuestro pecado.

Una vez oí la historia de una dama que estaba restaurando el marco de un cuadro dorado antiguo y muy querido. Necesitaba algunos materiales adicionales, por lo tanto fue a la ferretería y le preguntó al empleado: «¿Tiene usted gilt (dorado)?» El empleado, confundiendo *gilt* con *guilt* (culpa) le contestó: «Ay, señora. A veces es tan pesada que casi no la puedo cargar». Primero nos reímos, y luego lloramos. Es divertido porque el empleado confundió los términos y fue tan sincero en comunicar sus angustias íntimas. A la vez es triste porque existen tantas personas que andan por el mundo cargando sobre sus hombros culpas demasiado pesadas.

Creo que una clara conciencia es esencial no solo para autoridad moral en el ministerio personal, sino también para vencer en la guerra espiritual. Una cantidad de pasajes bíblicos, cuando se toman juntos, nos muestran que si nos dejamos ir por la vida sin guardar una conciencia clara, el diablo puede hacer naufragar nuestras vidas:

1. Para el apóstol Pablo una clara conciencia era de primera importancia en su vida personal:

   Yo con toda buena conciencia he vivido delante de Dios hasta el día de hoy (Hechos 23.1).

   y,

   Por esto procuro tener siempre una conciencia sin ofensa ante Dios y ante los hombres (Hechos 24.16).

2. Las Escrituras nos enseñan que una meta de la instrucción bíblica es una buena conciencia. Una buena conciencia está unida a un corazón puro:

   Pero el propósito de este mandamiento es el amor nacido de corazón limpio, y de buena conciencia, y de fe no fingida (1 Timoteo 1.5).

3. Hay personajes bíblicos que por rechazar el valor de mantener una buena conciencia, naufragaron sus vidas:

   Manteniendo la fe y buena conciencia, desechando la 77cual naufragaron en cuanto a la fe algunos, *de los cuales son Himeneo y Alejandro, a quienes entregué a Satanás para que aprendan a no blasfemar* (1 Timoteo 1.19-20, cursivas añadidas).

4. El apóstol Santiago nos enseña que si tenemos amarguras, celos y ambiciones egoístas en nuestros corazones (lo cual no permite tener una conciencia clara), nuestra mejor sabiduría es terrenal, natural y demoníaca:

   ¿Quién es sabio y entendido entre vosotros? Muestre por la buena conducta sus obras en sabia mansedumbre. Pero si tenéis celos amargos y contención en vuestro corazón, no os jactéis, ni mintáis contra la verdad; porque esta sabiduría no es la que desciende de lo alto, sino terrenal, animal, diabólica (Santiago 3.13-15).

5. El apóstol Pablo extiende esta línea de pensamiento al enseñarnos que cuando alguien no se arrepiente (uno no puede tener una conciencia clara si es consciente de su falta de arrepentimiento) de algún pecado consciente, puede ser engañado por el diablo y hecho cautivo para hacer su voluntad:

   Porque el siervo del Señor no debe ser contencioso, sino amable para con todos, apto para enseñar, sufrido; que con mansedumbre corrija a los que se oponen, *por si quizá Dios les conceda que se* arrepientan *para conocer la verdad, y* escapen del lazo del diablo, *en que están cautivos a voluntad de él* (2 Timoteo 2.24-26).

Estos pasajes llanamente indican que una conciencia clara es esencial a la vida y victoria del cristiano en la guerra espiritual.

¿Cómo podemos llegar a tener una conciencia clara?

Podemos llegar a tener una conciencia clara al arrepentirnos de algún pecado conocido, perdonando a quienes nos han hecho mal y buscando perdón de aquellos a quienes nosotros hemos hecho mal.

La Biblia nos enseña a perdonar a quienes nos han hecho mal (Efesios 4.32) y no albergar amarguras dentro de nosotros (Hebreos 12.15). El Espíritu Santo es el que convence de pecado, incluyendo el pecado de no perdonar a los demás. Si vamos al Señor en oración para decirle que estamos dispuestos a hacer lo que se necesario con tal de tener una conciencia clara, y luego le pedimos al Espíritu Santo que nos revele a quienes no hemos perdonado por hacernos mal, el Espíritu Santo nos mostrará esas personas. Quizás no necesitemos hacer una lista. Luego pidámosle al Señor que nos dé la gracia de perdonar a quien sea que venga a nuestra mente. Finalmente, en un acto de nuestra voluntad, digámosle al Señor que por su gracia perdonamos a esa persona por habernos hecho mal. En algunos casos será de ayuda decirle a la persona que la hemos perdonado, especialmente si ha habido una fisura en las relaciones. En otros casos, la persona quizás no se haya dado cuenta de nuestros sentimientos, o quizás ya ni siquiera vive. De cualquier modo, el Señor nos dirigirá en tal decisión para que tengamos una conciencia clara de aquello que no hemos perdonado.

Por qué necesito saber esto

Una de las claves para la victoria en la guerra espiritual es arrepentirse de pecados conocidos y mantener la conciencia libre. Si yo no sé esto, puedo violar el principio y vivir en derrota permanente.

Pero al alcanzar una conciencia clara, la necesidad de perdón tiene su contraparte: también necesitamos pedir al Señor que nos revele a quien nosotros hemos ofendido y no le hemos pedido perdón. A veces, cuando el Espíritu Santo nos revela los pecados, puede haber una mala acción (o una actitud) que hemos cometido privadamente, no algo que hayamos hecho directamente contra otra persona o que afectara a otra persona directamente. En tales casos nuestra confesión y arrepentimiento solo necesita ir al Señor. Pero cuando el Espíritu Santo revela que hemos ofendido a alguien más, debemos buscar el perdón de esa persona. Nos comprometemos a hacer restitución si es el caso (a veces no. Debemos seguir la dirección del Señor). Entonces, empezamos a entrar en contacto con esas personas, pidiéndoles que nos perdonen por haberles ofendido. Hay varios pasos muy importantes en el proceso de buscar perdón, muchos de los cuales se observan en el arrepentimiento del hijo pródigo (Lucas 15.11-32):

1. Deberíamos orar para que el Señor prepare sus corazones para que acepten nuestro arrepentimiento y nos perdonen.
2. Deberíamos hablar directamente a la persona, sea cara a cara o por teléfono. La comunicación escrita puede ser imprecisa, quitar tiempo o incriminarse por el mal uso que se le puede dar al papel.
3. No es necesario entrar en detalles sino que sería suficiente con identificar la base de la ofensa. Por ejemplo, quizás tú te pusiste furioso y gritaste insultos a alguien. La base de la ofensa es que perdiste el control y trataste a la otra persona en una forma irrespetuosa. No hay necesidad de repetir las palabras insultantes cuando se confiesa la conducta equivocada. Bastaría con decir algo así como: «El Señor me ha mostrado lo equivocado que estuve cuando te grité y te traté irrespetuosamente. Entiendo lo que eso te afectó, por eso quisiera pedirte que me perdonaras». Es importante ser absolutamente sincero cuando se va a pedir perdón. Si la otra persona duda de tu verdadero arrepentimiento, quizás todo resulte peor.
4. Deberíamos estar preparados para sus reacciones:

   La persona quizás diga, «No». Sin embargo, en este punto, tú habrás descargado tu responsabilidad al confesar tu falta y pedir perdón. El asunto queda ahora sobre los hombros de la otra persona. Si se da la oportunidad, deberías expresar tu malestar y tu esperanza que en el futuro esté dispuesta a perdonarte. Luego puedes seguir orando para que el Señor trabaje en su corazón y que te dirija si Él quiere hacer un nuevo intento más adelante.

   La persona quizás diga: «Oh, no te preocupes por eso. No fue nada». En tal caso, pregunta si entonces ambos estarían dispuestos a dar por terminado el asunto. Di algo así como, «Aprecio tu comprensión. ¿Quiere decir que estás dispuesto a perdonarme?» O, «Muchas gracias por tu comprensión. Me da pena haberte tratado como lo hice. Sería una gran cosa para mí saber que me perdonas». Usa tu propio juicio para saber hasta dónde llegar en tu posición, pero si la otra persona está positiva, lo mejor sería que ambos trataran el caso hasta estar seguros que ha habido verdadero arrepentimiento al pedir perdón y que se ha perdonado.

La persona quizás diga: «Sí, te perdono». En tal caso no es necesario recordar la ofensa sino disfrutar de la amistad reanudada y una conciencia libre de culpa.

Si nos damos cuenta, sin embargo, que estamos siendo atribulados y fastidiados por un enfrentamiento constante con pensamientos negativos o tentaciones sobre el mismo pecado, es posible que estemos luchando contra una fortaleza espiritual.

¿Cómo podemos proteger nuestra conciencia de las influencias malignas y derribar fortalezas espirituales?

Podemos proteger nuestras conciencias de las influencias malignas si nos arrepentimos de y renunciamos a cualquiera cosa que estemos haciendo o hayamos hecho en el pasado que nos haga vulnerables a la influencia demoníaca.

Una maniobra estratégica común en las guerras militares es establecer una fortaleza y también es una estrategia común de nuestro enemigo en la guerra espiritual. Veamos lo que nos dice 2 Corintios 10.3-6:

> Pues aunque andamos en la carne, no militamos según la carne; porque las armas de nuestra milicia no son carnales, sino poderosas en Dios para la destrucción de fortalezas, refutando argumentos, y toda altivez que se levanta contra el conocimiento de Dios, y llevando cautivo todo pensamiento a la obediencia de Cristo, y estando prontos para castigar toda desobediencia, cuando vuestra obediencia sea perfecta.

Una fortaleza es un lugar donde existe una concentración de poder que hace difícil o imposible derribarla. En los años de 1800 se decía que los «Badlands» de South Dakota eran una fortaleza de los pistoleros y convictos. Ese era su territorio y no permitían la entrada de ningún representante de la Ley. Todavía se dice que el noreste es una fortaleza del liberalismo político. Italia y Sicilia se dice que son fortalezas de la actividad de la mafia.

Si hay una fortaleza en la vida de un cristiano, hay allí una concentración de poder difícil de derrotar para el cristiano. Las fortalezas en el contexto de este pasaje son actitudes acerca de Dios que eran antibíblicas («argumentos y cualquiera cosa que se exalte a sí misma contra el conocimiento de Dios»), y desobediencia a la verdad. Estas actitudes antibíblicas y actos de desobediencia eran una fortaleza en la iglesia de Corinto establecidas por las enseñanzas de falsos profetas, ministros de Satanás (2 Corintios 11.13-15). Cualquiera línea de pensamiento equivocado o cualquiera área de desobediencia habitual puede transformarse en una fortaleza.

Nuestras actitudes antibíblicas pueden ser una fortaleza de Satanás.

El apóstol Pablo dice que estas fortalezas no son traídas por habilidad humana. La metáfora aquí probablemente describa armas de guerra literales tales como: espadas, lanzas, porras y flechas, arietes y catapultas para lanzar bolas de fuego al enemigo. Las armas de guerra más metafóricas podrían incluir agudeza intelectual, dinero, discursos persuasivos, influencia política, estrategias y así por el estilo.

Adicciones de cualquier tipo pueden ser fortalezas de Satanás.

Tales armas no son efectivas para destruir fortalezas espirituales en la vida de una persona. Sí son efectivas armas como la fe, la oración, las Escrituras, el arrepentimiento, la obediencia, la sabiduría espiritual y la firmeza.

Áreas de conflicto en la guerra espiritual que podrían indicar una fortaleza espiritual en acción son:

- Hostigamiento demoníaco. Posibles manifestaciones pudieran incluir sensaciones de opresión, temores y desalientos repentinos, pesadillas, apariciones demoníacas, oír voces (a veces induciendo al suicidio o al homicidio), pesadez física en el pecho, dificultades para respirar, etc.

- Adicciones. Tales como a la comida, al alcohol, a las drogas, al tabaco, a la televisión, al sexo, a mentir, a la morosidad, al materialismo, a la pornografía, a la música rock, o a cualquier otro tipo de pecados que han hecho su residencia en tu vida y han llegado a ser tan fuertes que te parecen casi imposible derrotar.

Las emociones negativas pueden ser fortalezas de Satanás.

- Esclavitud emocional. Tal como una actitud de superioridad intelectual que te impulsa a transformarte en juez de la Biblia, decidiendo cuáles pasajes vas a creer y cuáles no. El orgullo es la gallina madre bajo la cual se agrupan todos los otros pecados, dijo C.S. Lewis. Es común una fortaleza emocional, como son las preocupaciones, el miedo, la ira, un espíritu de independencia y rebeldía contra la autoridad, sarcasmo, aspereza, lengua suelta, amarguras, resentimiento, celos, y una incapacidad para perdonar, depresión, pensamientos suicidas, etc.

Si estamos siendo hostigados por demonios o nos parece imposible derrotar una adicción o una emoción negativa, necesitamos considerar la posibilidad de una fortaleza espiritual. La fortaleza pudo haberse desarrollado por involucramientos *pasados* o *presentes* en creencias antibíblicas que nunca hayamos repudiado o de las cuales nos hayamos arrepentido y por lo tanto nos han hecho vulnerables a las influencias de demonios. En consecuencia, necesitamos examinar nuestras creencias y comportamientos a la luz de la verdad y los principios escriturales, «trayendo todo pensamiento (y actividad) en cautividad a la obediencia de Cristo». Necesitamos examinar tres áreas de nuestra vida: Ocultismo y actividades relacionadas, cultos y otras religiones falsas y conexiones demoníacas ancestrales.

Ocultismo y actividades relacionadas. Pareciera que varios tipos de actividades presentes y pasadas tienden a hacer a algunas personas vulnerables a la influencia demoníaca en sus vidas. Cualquiera actividad energizada por demonios, por ejemplo, podría abrir una puerta de influencia para los demonios en las vidas de algunas personas. Esto podría incluir cosas como jugar con la ouija, asistir a una sesión de espiritismo, consultar a un adivino, consultar el tarot, ser aficionado a la astrología, jugar juegos de rol como *dungeons and dragons*, jugar algunos juegos de ocultismo por computadora, intentar actividades paranormales, tales como proyección astral, clarividencia u otro tipo de magia; tener interés en o participar en brujería, ocultismo, sacrificio de animales, o ritos sexuales, afición por la pornografía, historias de terror, y así por el estilo. La lista aquí no es completa, pero cualquiera cosa que tú sospeches que pudiera tener influencia demoníaca, pertenece a esta lista. Aunque la Biblia no menciona específicamente todas estas actividades por nombre, tenemos el mandato bíblico en Deuteronomio 18.9-13 de no participar en ninguna forma en actividades que sean demoníacas.

Ciertos tipos de actividades pueden hacernos vulnerables a la actividad demoníaca.

Por lo tanto, cuando tratemos de alcanzar una clara conciencia en materia de influencias malignas, necesitamos considerar estas cosas y renunciar a ellas. Para aclarar tu conciencia de cualquier actividad sospechosa del pasado o presente, pide al Señor que te revele si has estado involucrado en algo así que pudiera hacerte vulnerable a las influencias de demonios.

1. Revisa la armadura espiritual y asegúrate que no tienes ningún hueco en tu rectitud personal;
2. Termina con cualquier participación presente en una de estas o en otras actividades sospechosas;

3. Si en el pasado has participado en algunas de estas prácticas, renuncia y déjalas de practicar, y deshácete de cualquier cosa que tengas y que esté asociada con ellas (tales como la ouija, las cartas del tarot, etc.);
4. Proclama en alta voz tu arrepentimiento al Señor y comprométete con Él a un repudio permanente de estas actividades;
5. Pide al Señor que destruya cualquiera influencia que estas creencias y prácticas pudieran tener en tu vida;
6. Pide al Señor que te proteja de cualquier engaño o daño y que te guarde seguro, y tú mantente firme en tu posición en Cristo, quien ya ganó la victoria para ti.

Después de revisar este proceso, puedes orar así:

Querido Padre que estás en los cielos:

Reconozco que he participado en (lo que sea que el Señor traiga a tu mente en esta área) y confieso que es un pecado. Repudio (lo que sea), pido tu perdón y acepto tu oferta de total restauración de nuestra relación. Oro para que tú destruyas cualquiera influencia que el haber participado en estas cosas pudiera haber dejado en mi vida. Mantenme seguro para que esté firme en Cristo. En su nombre, Amén.

Sectas y otras religiones falsas. Además de estas actividades tipo ocultismo, una participación e interés en cualquier clase de actividad cúltica parece ser que abre una puerta a la influencia demoníaca en las vidas de algunas personas. Hay que sospechar del movimiento de la Nueva Era, la masonería, la Cientología, la Iglesia de la Unificación y otros. Otras religiones falsas como el Budismo, el Hare Krishna, el Hinduismo, la Meditación Trascendental, Yoga y el Islam también pueden jugar un papel similar (1 Timoteo 4.1).

Ciertas creencias pueden hacer a una persona vulnerable a la actividad demoníaca

Muchas personas que se han involucrado en una o más de estas actividades no han experimentado ninguna repercusión demoníaca. Otras, en cambio, han experimentado serias repercusiones demoníacas de solo una de estas cosas. Por lo tanto, cuando trates de alcanzar una conciencia clara respecto a las influencias del mal, necesitas considerar estas cosas y renunciar a ellas. Para descargar tu conciencia de cualquier actividad sospechosa pasada o presente, pide al Señor que te revele cualquier participación que pudiste haber tenido o tienes actualmente en cualquier actividad que pudo haberte hecho vulnerable a la actividad demoníaca:

1. Revisa la armadura espiritual y asegúrate que no tienes ningún hueco en tu rectitud personal;
2. Termina con cualquier participación presente en una de estas o en otras actividades sospechosas;
3. Si en el pasado has participado en algunas de estas cosas, renuncia a ellas y deja de participar en ellas, y deshácete de cualquier cosa que tengas que esté asociada con ellas (tales como imágenes religiosas y símbolos);
4. Declara de viva voz tu arrepentimiento al Señor y comprométete con Él a un repudio permanente de estas actividades;
5. Pídele al Señor que destruya cualquier influencia que estas cosas pudieran tener en tu vida;
6. Pídele al Señor que te proteja de cualquier engaño o daño y que te guarde seguro, y tú mantente firme en tu posición en Cristo, quien ya ganó la victoria para ti.

Después de revisar este proceso, puedes orar así:

Querido Padre que estás en los cielos:

Reconozco que participé en (lo que sea que el Señor traiga a tu mente en esta área) y confieso que es un pecado. Repudio (lo que sea), pido tu perdón y acepto tu oferta de total restauración de nuestra relación. Destruye cualquiera influencia que el haber participado en estas cosas pudiera haber dejado en mi vida. Mantenme seguro para que esté firme en Cristo. En tu nombre. Amén.

Conexiones demoníacas ancestrales. Hay una última área de fortaleza potencial que es algo controversial. Algunos ministros y consejeros que han incursionado en este campo creen ver una conexión genealógica a la vulnerabilidad demoníaca. Es decir, si los ancestros han estado involucrados en actividades demoníacas (ocultismo, médiums, etc.) sus descendientes son vulnerables a la influencia demoníaca. A menudo citan Éxodo 20.4-5:

> No te harás imagen ni ninguna semejanza de lo que esté arriba en el cielo, ni abajo en la tierra, ni en las aguas debajo de la tierra. No te inclinarás a ellas, ni las honrarás; porque yo soy Jehová tu Dios, fuerte, celoso, que visito la maldad de los padres sobre los hijos hasta la tercera y cuarta generación de los que me aborrecen.

Por lo tanto, estos consejeros enseñan que la persona debe renunciar a los pecados de sus ancestros y cualquiera maldición que haya sido traspasada a la persona.

Otros, sin embargo, objetan fuertemente esta enseñanza. Aunque el Antiguo Testamento dice claramente que Dios visita los pecados de los padres sobre los hijos hasta la tercera y cuarta generaciones, Él lo hace solo con «aquellos que lo aborrecen». Éxodo 20.6, sin embargo, afirma: «Y hago misericordia a millares, a los que me aman y guardan mis mandamientos». En Deuteronomio 7.9 leemos:

> Conoce, pues, que Jehová tu Dios es Dios, Dios fiel, que guarda el pacto y la misericordia a los que le aman y guardan sus mandamientos, hasta mil generaciones.

Además, en Ezequiel 18.20, leemos,

> El alma que pecare, esa morirá; el hijo no lavará el pecado del padre, ni el padre lavará el pecado del hijo; la jus-

ticia del justo será sobre él, y la impiedad del impío será sobre él.

El peso de estos pasajes sugiere, dicen otros consejeros y maestros, que cuando un descendiente de alguien que estuvo involucrado en actividades demoníacas (conocidas o desconocidas) llega a ser cristiano, se rompe el ciclo de pecado que ha venido visitando a las familias a las que está unida esta persona, y comienza un nuevo ciclo de justicia, a menos que alguien nuevamente rompa este nuevo ciclo.

Quizás la respuesta sea que una oración de renuncia ancestral podría ayudar en algunas ocasiones, solo para demostrar al mundo demoníaco que la persona que está orando no va a seguir los pasos de sus ancestros. La misma cosa se puede conseguir mediante el crecimiento espiritual, una vida recta y resistiendo al diablo en todas las áreas de la vida. Mi opinión, y es solo una opinión, es que una oración de repudio ancestral no es esencial para vivir libre del involucramiento demoníaco y particularmente no es necesaria si la persona no muestra signos de influencia demoníaca. Pero si una persona con una historia familiar de actividades demoníacas muestra también signos de susceptibilidad o vulnerabilidad, una oración de renuncia familiar puede ser una buena forma de hacer claro a todo el mundo —humanos y demonios por igual— que el ciclo se ha roto.

Si alguien considera que una oración de renuncia ancestral es necesaria, use una oración como la siguiente:

Querido Padre celestial:

Vengo a ti como una persona que ha sido perdonada, redimida y hecha nueva, transferida del reino de las tinieblas al reino de tu amado Hijo. Renuncio a cualquiera participación en actividades demoníacas que mis antepasados hayan tenido y rechazo cualquier posible dominio que Satanás pretenda tener sobre mí por causa de mi familia. Afirmo la verdad de tu Palabra, que muestra misericordia a miles, a los que te aman y guardan tus mandamientos, y el que el hijo no llevará la culpa de su padre, ni el padre llevará la culpa del hijo. La justicia del justo será sobre él, y ahora proclamo la promesa bíblica que el ciclo ha sido roto y me comprometo a ti como un instrumento de justicia para glorificarte en mi cuerpo. Oro en el nombre de Jesús, quien ha hecho posible mi libertad. Amén.

Conclusión

Es la verdad, no una técnica espiritual, que te hará libre (Juan 8.32). En Mateo 4, Jesús respondió a la tentación con las Escrituras. Si Jesús necesitó depender de la Escritura para derrotar al diablo, cuánto más nosotros.

Tú puedes experimentar libertad después de hacer estas oraciones solo para sentir más tarde que de nuevo estás bajo un ataque espiritual. Esto no debería sorprenderte. En Lucas 4, Jesús venció a Satanás quien trató de tentarlo en el desierto, pero las Escrituras agrega: «Y cuando el diablo hubo acabado toda tentación, se apartó de él por un tiempo» (v.13). Cuando tú vences sobre un ataque espiritual, no te deberías sorprender si los demonios lanzan nuevos ataques cuando lo consideren oportuno. Se supone, entonces que es de suma importancia una fidelidad consistente al Señor, porque cuando vuelves a pecar o sigues tu propio camino, te haces especialmente vulnerable al engaño demoníaco.

J. Vernon McGee, pastor y maestro de Biblia dijo en cierta ocasión que alguien le había dicho que si «todavía no le había llegado la hora» podría caminar tranquilamente a la hora de mayor tráfico por la supercarretera de Los Angeles y no le iba a pasar nada. A lo que McGee contestó: «Amigo mío, puede que sea como usted dice, pero si usted camina a la hora de mayor tráfico por la supercarretera de Los Ángeles, le aseguro que su hora *habrá* llegado».

De la misma manera, si tú decides involucrarte en el pecado es el tiempo más oportuno para el diablo.

¡Topes de velocidad!

Baja la velocidad para asegurarte que has captado los puntos principales de este capítulo.

Pregunta Respuesta

P1. ¿Qué es una clara conciencia?

R1. Una clara conciencia es una conciencia libre de culpa, no porque no hayamos pecado, sino porque hemos respondido *bíblicamente* a nuestro pecado.

P2. ¿Cómo podemos llegar a tener una clara conciencia?

R2. Podemos llegar a tener una clara conciencia si nos *arrepentimos* de los pecados conocidos, perdonamos a quienes nos han causado daño y buscamos el perdón de aquellos a quienes nosotros hemos causado daño.

P3. ¿Cómo podemos proteger nuestra conciencia de las influencias malignas y derribar fortalezas espirituales?

R3. Protegemos nuestra conciencia de las influencias malignas si nos arrepentimos de y *renunciamos* a cualquiera cosa que hacemos o que hayamos hecho en el pasado que nos ha hecho vulnerables a la influencia demoníaca.

Llena los espacios en blanco

Pregunta Respuesta

P1. ¿Qué es una clara conciencia?

R1. Una clara conciencia es una conciencia libre de culpa, no porque no hayamos pecado, sino porque hemos respondido ________________ a nuestro pecado.

P2. ¿Cómo podemos llegar a tener una clara conciencia?

R2. Podemos llegar a tener una clara conciencia si nos __________ de los pecados conocidos, perdonamos a quienes nos han causado daño y buscamos el perdón de aquellos a quienes nosotros hemos causado daño.

P3. ¿Cómo podemos proteger nuestra conciencia de las influencias malignas y derribar fortalezas espirituales?

R3. Podemos proteger nuestra conciencia de las influencias malignas si nos arrepentimos de y ______________ a cualquiera cosa que hacemos o que hayamos hecho en el pasado que nos ha hecho vulnerables a la influencia demoníaca.

Para un análisis más profundo

1. ¿Sientes todavía culpa por cosas que hiciste en el pasado y que sigues sin resolver? ¿Qué piensas que tienes que hacer para resolver esta culpa?
2. ¿Has participado alguna vez en actividades que piensas pudieran haberte hecho vulnerable a la influencia demoníaca? Si así ha sido, ¿qué crees que debes hacer?
3. ¿Estás consciente de alguna participación demoníaca, pasada o presente, de alguien de tu familia? ¿Crees que necesitas hacer una oración de renunciación ancestral?

¿Y si yo no creyera?

1. Me arriesgaría a transformar mi corazón en un botadero de chatarra de pecados sin resolver.
2. Me arriesgaría dando a los demonios una base en mi vida debido a mi fracaso moral.

3. Me arriesgaría dando a los demonios una base en mi vida por actividades inapropiadas tanto en el presente como en el pasado.

Para un estudio extra

1. Las Escrituras

- Juan 8.44
- Efesios 6.10-18
- Santiago 4.7
- 1 Pedro 5.8

Sin valor, todas las otras virtudes pierden su sentido.
■ *Winston Churchill*

12

¿Cómo podemos estar firmes en la guerra?

Cuando yo estaba en tercer grado, nuestra clase tenía un bravucón. No recuerdo cómo ocurrió, pero un día que pasé frente a él, echó a correr la voz de que me iba a pegar. Durante varias semanas, el terror dominó mi vida. En cada esquina miraba para todos lados antes de seguir. Salía huyendo cuando él se encontraba en el patio, bien seguro de que no me viera. Ronnie (no es su verdadero nombre) dominaba mi vida.

Pero el miedo termina por cansarte. Y yo estaba cansado de tener miedo, de andar siempre mirando por sobre mi hombro, y excusándome por no poder tomar parte en ciertos juegos (porque Ronnie estaba allí). Un día en que él venía del patio, yo me dirigía hacia allá. Nos cruzamos en el pasillo. Siguiendo su procedimiento normal, se paró frente a mí y me preguntó si quería pelear. Algo muy dentro de mí se soltó. Lo enfrenté desafiante y le dije: «¡Sí!» Sospecho que en mis ojos había una mirada como queriendo decir: «¡Cuidado que se te viene el tren encima!» La mirada de alguien que ha tenido que soportar por demasiado tiempo que no le importa lo que venga. No solo estaba listo para pelear con el bravucón, sino que estaba listo a sacudirme el peso del miedo que ya me era insoportable, así es que decidí que aquel terrorista de tercer grado no me podría hacer algo peor que lo que el miedo me había venido haciendo. Me encontraba en medio de una guerra filosófica y mi acosador era simplemente el punto focal, el precipitante. Bueno. El aspecto de mi cara debe de haberlo enervado, porque de pronto se puso a temblar como gelatina. El rudo que medía seis pulgadas más que yo y que me ganaba en peso por a lo menos diez o quince libras (lo cual es suficiente cuando tú pesas apenas ochenta) se vio que no podía pelear. En lugar de eso, salió corriendo y se metió al aula.

Nunca más me volvió a molestar.

Esto mismo es lo que tenemos que hacer con las fuerzas de las tinieblas. Enfrentarlas y estar listos para combatir con ellas.

En este capítulo aprendemos que:

1. Los cristianos pueden ser influenciados por los demonios, de modo que debemos estar siempre en guardia espiritualmente.
2. Podemos ser protegidos de las fuerzas de las tinieblas por una vida de obediencia a las Escrituras y de confianza en la protección que Dios nos da.
3. Los creyentes no están todos de acuerdo en si el exorcismo es válido o no, pero sí están de acuerdo en que la libertad permanente para las personas demonizadas depende de su cooperación.
4. Podemos ayudar a otros en la guerra espiritual tomándolos a través de un proceso de purificación de sus conciencias y usando la oración y la Escritura para resistir la influencia demoníaca.

Sin embargo, tenemos que tener claro una de las más importantes diferencias entre pelear con una persona y pelear con las fuerzas de oscuridad. Si se hubiera dado el caso, yo habría peleado con el bravucón de mi clase confiado en mis propias fuerzas, y probablemente habría caído derrotado. Con las fuerzas de las tinieblas no podemos pelear confiados en nuestras propias fuerzas. Debemos pelear en la manera de Dios y en el poder de Dios.

¿Pueden los cristianos ser influenciados por demonios?

Los cristianos pueden ser influenciados por los demonios, de modo que tenemos que estar siempre en guardia espiritualmente.

Los cristianos no necesitan tener miedo de la influencia demoníaca si están siguiendo las instrucciones bíblicas sobre cómo vivir por sobre la opresión demoníaca (estar alertas, ponerse la armadura y resistir). Si el cristiano se entrega al pecado, ahí sí, tiene mucho que temer.

Vemos en 1 Corintios 5.1-5 que un cristiano en la iglesia de Corinto estaba viviendo en una flagrante inmoralidad. El resultado fue entregarlo a Satanás como juicio por su pecado.

De cierto se oye que hay entre vosotros fornicación, y tal fornicación cual ni aun se nombra entre los gentiles; tanto que alguno tiene la mujer de su padre. Y vosotros estáis envanecidos. ¿No debierais más bien haberos lamentado, para que fuese quitado de en medio de vosotros el que cometió tal acción? Ciertamente yo, como ausente en cuerpo, mas presente en espíritu, ya como presente he juzgado al que tal cosa ha hecho. En el nombre de nuestro Señor Jesucristo, reunidos vosotros y mi espíritu, con el poder de nuestro Señor Jesucristo, el tal sea entregado a Satanás para destrucción de la carne a fin de que el espíritu sea salvo en el día del Señor Jesús.

¡Qué juicio más poderoso y dramático para un cristiano caer en las manos de Satanás! Sin embargo, como el apóstol Pablo señala, la «destrucción de su carne» es un juicio temporal que el cristiano sufre para no perder su alma que es eterna. Probablemente esta destrucción incluía las consecuencias causa-efecto de una vida entregada al pecado. Por sobre eso, sin embargo, este castigo posiblemente haya involucrado demonización. Debería ser una fuerte advertencia a cualquier hijo de Dios que se sienta libre de querer vivir como el diablo.

¿Cómo podemos ser protegidos de las fuerzasde las tinieblas?

Podemos ser protegidos de las fuerzas de las tinieblas por una vida de obediencia a las Escrituras y por confiar en que Dios nos protege.

Efesios 6.10 dice: «Por lo demás, hermanos míos, fortaleceos en el Señor, y en el poder de su fuerza». Esto hace evidente que no estamos combatiendo contra las fuerzas de las tinieblas en nuestras propias fuerzas. Circula hoy día por ahí una enseñanza que trata de hacernos creer que porque hemos sido resucitados con Cristo y sentados con Él y porque Él tiene autoridad sobre todos los principados y potestades, nosotros también tenemos autoridad sobre todo principado y potestad. Debemos ser muy cuidadosos sobre la forma en que entendemos esta verdad. Nuestras fuerzas están en el Señor. Nosotros no tenemos fuerzas *en* ni *de* nosotros para ser victoriosos en las batallas contra los demonios.

Después que el apóstol Pablo nos instruyó para que fuéramos fuertes en el Señor y en el poder de su fuerza, él sigue diciendo: «Vestíos de toda la armadura de Dios, para que podáis estar firmes contra las asechanzas del diablo». La armadura, por supuesto, tipifica a Jesús, su justicia y su verdad. Si fuéramos a enfrentar a las fuerzas demoníacas en nuestras propias fuerzas, enfrentaríamos el equivalente espiritual de un desmenuzador de papel con nuestro propio ser de papel. Los demonios son tanto más inteligentes y poderosos que nosotros, que no nos dan ninguna otra alternativa segura que el poder de Cristo. Nos afirmamos en Él y en su armadura. Entonces y solo entonces, seremos inamovibles.

Las armas más grande que los demonios tienen son la ignorancia y el miedo. Una vez que sabemos que su poder sobre nosotros está limitado a la libertad que nosotros mismos les dejamos para que ejerzan su poder, y una vez que damos los pasos que las Escrituras nos dice que debemos dar para liberarnos de su influencia, no necesitamos tener miedo a los demonios. Su poder sobre nosotros es limitado.

Específicamente: «estar firmes» quiere decir que rechazamos sus sugerencias, tentaciones e insinuaciones. Les negamos sus tácticas de amedrentamiento. Proclamamos nuestra seguridad y libertad en Cristo y les citamos versículos apropiados de las Escrituras como lo hizo Jesús en su tentación según nos lo dice Mateo capítulo cuatro.

Cada vez que sospechamos que estamos bajo ataque espiritual, podemos citar como nuestra afirmación personal una progresión muy útil de pasajes:

1. *¡Alerta!* Primero, debemos estar alerta ante ataques espirituales potenciales: Yo soy de espíritu sobrio y alerta a las tácticas de Satanás. Yo sé que mi adversario, el diablo, anda como león rugiente, buscando a quien devorar.
2. *¡Armadura!* Segundo, debemos afirmar que tenemos la armadura en su lugar en nuestras vidas:
   El cinto de la verdad: Acepto la verdad de la Biblia y decido seguirla con integridad.
   La coraza de justicia: No voy a retener ningún pecado conocido, y voy a procurar vivir como Cristo.
   El calzado del evangelio de la paz: Creo las promesas de Dios y cuento con que ellas son verdad para mí.
   El escudo de la fe: Cada vez que sienta dudas, peligro de pecar o desfallecimiento, rechazaré tales pensamientos y sentimientos y me declararé a mí mismo la verdad.
   El yelmo de la salvación: Depósito mi esperanza en el futuro y vivo en este mundo según el sistema de valores del venidero.
   La espada del Espíritu: Usaré las Escrituras específicamente en situaciones de la vida para defenderme de los ataques del enemigo y hacerlo huir.

3. *¡Resistir!* Tercero, debemos proclamar la verdad de las Escrituras y ordenar a las fuerzas de las tinieblas a obedecer las Escrituras y a que huyan de nosotros:
   Yo estoy en Cristo y soy una nueva criatura (2 Corintios 5.17).
   La sangre de Jesucristo su Hijo [de Dios] me limpia de todo pecado (1 Juan 1.7).
   Mayor es el que está en mí que el que está en el mundo (1 Juan 4.4).
   Me someto a Dios. Resisto al diablo y sus fuerzas de oscuridad. Según la autoridad de Jesús y la palabra de Dios, declaro que él debe huir de mí (Santiago 4.7).

Permanezco en una actitud de oración y pido continuamente a Dios que me fortalezca, me guíe y me guarde en seguridad. Nótese que esta colección de afirmaciones de las Escrituras no es ni una fórmula ni un conjuro. No es ni una cábala muy bien elaborada ni una «cruz de plata» verbal que aleje el mal automáticamente. No es una técnica ingeniosa que puede enseñarse aun a quienes viven en pecado. Todo lo que este proceso puede hacer es ayudar a una persona sincera a revisar los elementos clave en la guerra espiritual. Pero si las palabras no reflejan la actitud del corazón de una persona, no hay nada en las Escrituras que sugiera que actuará «como por arte de magia».

¿Deben los cristianos echar fuera demonios de otras personas?

No todos los creyentes están de acuerdo en la validez del exorcismo, pero sí todos están de acuerdo que la libertad permanente de las personas demonizadas depende de su propia cooperación.

En este punto en este libro no debería sorprendernos saber que los creyentes están divididos sobre si pueden los cristianos echar demonios de otras personas; es decir, practicar exorcismos. Algunos creen que este es un ministerio válido y otros no. De nuevo, es necesario generalizar para no sepultarnos en detalles. Por lo general los que creen que el exorcismo es válido hoy día (o las nociones más amplias de «encuentros de poder» y «ministerios de liberación») lo ven como algo sencillo, sin complicación alguna y fácil de explicar bíblicamente. Jesús echó demonios de las personas y comisionó a sus discípulos para que echaran fuera demonios de las personas (Lucas 10.17-20) y esa autoridad es reiterada por el apóstol Pablo en Efesios 1.20-22 y 2.6 donde la autoridad de Cristo sobre los demonios es dada a nosotros por virtud del hecho que nosotros hemos sido resucitados con Cristo y sentados con Él, en autoridad, en los lugares celestiales. En ninguna parte de la Biblia se rescinde esa autoridad. Cuando nos encontramos con alguien que está demonizado, es válido para nosotros ayudarle echando fuera el demonio de él en la autoridad del nombre de Jesús.

Ministros responsables tanto de «encuentro de poder» como de «liberación» dicen que debe darse consejería tanto antes como después de la liberación para que cuando la persona demonizada sea liberada esté espiritualmente fortalecida y preparada para que el demonio o los demonios no vuelvan, posiblemente aun en número mayor (Mateo 12.43-45). Ellos pueden dar muchos ejemplos de éxito con este procedimiento.

Los que no creen en echar fuera demonios de otras personas tienen una perspectiva más complicada y quizás menos fácil de explicar. Como hemos visto antes, algunos ven los ejemplos de exorcismos en los Evangelios y en Hechos como algo temporal, que se da primariamente en Jesús y luego en sus discípulos originales.

No hay una línea evidente que divida su ministerio y el ministerio de generaciones futuras de cristianos, pero por lo general se ve como un fenómeno del siglo primero.

La posterior información en las Epístolas a las iglesias y pastores no da instrucciones sobre exorcismos o encuentros dramáticos con demonios. En lugar de eso se enfoca en la madurez espiritual, en el carácter, en la santa manera de vivir y en el conocimiento de la verdad. En Efesios 6.11 se nos dice «estad firmes». En Santiago 4.7 se nos dice que resistamos al diablo. En 1 Pedro 5.8-9 se nos dice que resistamos al diablo y que él huirá de nosotros.

El argumento es que si los «encuentros de poder», exorcismos y ministerios de liberación debieran ser parte del ministerio de la Iglesia, debíamos haber sido instruidos sobre qué hacer y cómo hacerlo. El silencio parece ser demasiado fuerte.

Otro asunto es si tenemos o no tenemos autoridad sobre los demonios. Ya hemos visto que la «resistencia espiritual» aboga por no creer que tenemos autoridad sobre los demonios. Algunos cristianos se sienten con la libertad de reprender a los demonios y al diablo. Sin embargo, otros no, mencionando que aun Miguel el arcángel no se atrevió a proferir juicio de maldición contra Satanás, sino que dijo: «El Señor te reprenda» (Judas 9). Y, en Zacarías 3.2, leemos: «Y dijo Jehová a Satanás: Jehová te reprenda, oh Satanás».

Además, los que no creen en los exorcismos están preocupados por que, a menos que una persona demonizada esté dispuesta a ponerse la armadura espiritual y resistir al diablo mismo, en realidad no habrá recibido mucha ayuda con el exorcismo. En Mateo 12.43-45 leemos:

> Cuando el espíritu inmundo sale del hombre, anda por lugares secos, buscando reposo, y no lo halla. Entonces dice: Volveré a mi casa de donde salí; y cuando llega, la halla desocupada, barrida y adornada. Entonces va, y toma consigo otros siete espíritus peores que él, y entrados, moran allí; y el postrer estado de aquel hombre viene a ser peor que el primero.

La preocupación es que la consejería tanto antes como después de la liberación no es suficiente para preparar a una persona para el exorcismo. A menos que la persona que está siendo atormentada por demonios esté dispuesta a ponerse la armadura espiritual y a estar firme, en realidad podemos hacer su condición peor si un demonio es echado fuera de él por alguien. Si una persona en verdad está dispuesta a volver su vida a Cristo, las Epístolas sugieren que puede ser llevado a un lugar donde él exorcise al propio demonio al abrazar la verdad y resistir al o a los demonios. Ciertamente, esta posición puede encontrar respaldo de otros en lo que puede asemejarse a un exorcismo, pero la diferencia está en que la misma persona demonizada no una tercera parte, es responsable de que el demonio o los demonios salgan.

Neil Anderson, un conocido escritor sobre la guerra espiritual, escribe lo siguiente:

> La responsabilidad final para la libertad espiritual pertenece al creyente como individuo, no a un agente externo. No es lo que tú haces como consejero lo que cuenta; es lo que el aconsejado cree, confiesa, renuncia, perdona, etc. Tú no puedes dar los pasos para libertar a nadie por ti mismo. Si tienes éxito en echar fuera demonios de alguien sin su participación, ¿qué impide que vuelva después que tú te hayas ido? A menos que el individuo asuma su responsabilidad por su propia libertad, puede terminar como aquel otro que fue liberado de un espíritu solo para que fuera ocupado por siete otros que eran peores que el primero (Mateo 12.43-45).
>
> Por años no he intentado «echar fuera un demonio». Pero he visto cientos de personas que han encontrado la libertad en Cristo al ayudarles a resolver sus conflictos personal y espiritual. Ya no trabajo con demonios... Solo trabajo con las víctimas de los demonios. Ayudar a las personas a entender la verdad y a que asuman una responsabilidad personal por la verdad en sus vidas es la esencia del ministerio. *The Bondage Breaker* [El destructor de ataduras].

Por el otro lado, los ministerios de «encuentro de poder» tienen un buen argumento sobre estas preocupaciones. Primero, en cuanto al silencio de las Epístolas sobre exorcismos, ellos responden que algunas de las Epístolas fueron escritas durante el mismo período cubierto en el libro de Hechos cuando se efectuaban los exorcismos, y al no mencionarlos en las Epístolas se estaría tratando de hacer una integración de los registros de Hechos con los registros de las Epístolas más que una separación de ambos registros.

Segundo, señalan a la historia de la Iglesia para verificar la continuación del ministerio de exorcismo en la iglesia posterior al tiempo de los apóstoles. Después de la muerte del último apóstol, Juan, y después que se completaron los escritos del Nuevo Testamento, líderes de la iglesia tales como Justino Mártir y Tertuliano continuaron informando de un ministerio de exorcismo activo. Tal ministerio continuó hasta la Edad Media, pero fue cargado con prácticas supersticiosas no bíblicas incluyendo una literal cacería de brujas. Algunos reformadores protestantes reaccionaron contra estos abusos aboliendo el ministerio del exorcismo completamente. Pero ni los abusos ni la negación de la validez del exorcismo afecta la realidad de la actividad demoníaca y la necesidad de sus víctimas de recibir total liberación en Cristo. El *Evangelical Dictionary of Theology* [El diccionario evangélico de teología] reconoce la validez hoy día de tal ministerio responsable y anota que «el énfasis en ... la liberación de la posesión a través de ... el poder de Jesucristo es completamente consistente con el N[uevo] T[estamento] y no refleja del todo los abusos o supersticiones asociados con la Edad Media».

Tercero, en cuanto a la cuestión en Mateo 12.43-45 donde se sugiere que un individuo debe enfrentar el pecado en su vida o de lo contrario un exorcismo puede realmente tener un resultado contraproducente, Ed Murphy escribe:

> Mientras la esclavitud a la carne no sea destruida ... no es posible la efectiva liberación de creyentes demonizados. Donde esto ocurre, por lo general no es permanente. *La expulsión de un grupo de espíritus malignos de una vida humana por lo general conducirá a la entrada de otro grupo si el pecado en la vida a la cual los ex espíritus demoníacos estaban unidos no es quitado.* El creyente debe empezar a dar muerte a las obras de la carne para llegar a ser victorioso en la guerra del pecado en la que está envuelto. Si no, pronto llegará a ser una baja de la guerra. *The Handbook for Spiritual Warfare* [Manual de guerra espiritual].

En cuanto a si un creyente puede o no caer en tan terrible

pecado que llegue a ser demonizado al punto de ser habitado físicamente por un demonio, los ministros de encuentro de poder se referirán al cristiano en 1 Corintios 5.1-5. Estaba cometiendo fornicación con su madrastra, un pecado que cualquiera admitiría como censurable. Pablo dice que él ha decidido que la iglesia debería «entregarlo a Satanás para la destrucción de la carne, a fin de que el espíritu sea salvo en el día del Señor Jesús» (v. 5). Parece muy posible que «entregarlo a Satanás para la destrucción de la carne» podría fácilmente (quizás probablemente) involucrar demonización incluso al punto de habitación. Este pasaje parece decir que los cristianos pueden caer en pecados horribles, y que esos pecados pueden conducir a ser entregados a Satanás.

Finalmente, respecto a la necesidad que tiene la víctima de demonización de ejercer su voluntad para que el exorcismo tenga efecto duradero, Ed Murphy de nuevo escribe que cuando él echa fuera demonios, lo hace solo después que ha atado al demonio (o demonios) para evitar que siga(n) controlando la mente de la persona:

> Los demonios son controlados. Se les prohibe manifestarse y de impedir el proceso de pensamiento de la persona inconversa. Es nuestra autoridad en Cristo que los pone bajo control. Con algunos, hay que admitirlo, esto no funciona o funciona con mucha dificultad. Sin embargo, la meta inmediata es siempre la misma, tanto con los incrédulos como con los creyentes. Es, sin embargo, posible tener a la persona a la que se está tratando completamente lúcida y en control de su mente mientras nosotros lo ministramos. (Véase este excelente resumen de Neil Anderson en *Released from Bondage* [Liberado de la esclavitud]). Así, el encuentro de poder llega a ser un «encuentro de la verdad», un término que yo he aprendido de Neil Anderson. Incluso encuentros de poder son realmente encuentros de la verdad toda vez que es el poder de la verdad de Dios que está trabajando a través de nuestra vida (y, en el caso de los creyentes demonizados, a través también de

sus vidas) sobre la cual se traen los poderes demoníacos bajo sometimiento.

En este último punto, entonces, las tres posiciones primarias concernientes a la guerra espiritual difieren muy poco entre sí: Lo que sea que otras personas hagan por aquellos atormentados por demonios (y aquí los puntos de vista difieren) cada punto de vista insiste en que una libertad en Cristo completa y permanente depende de la cooperación de la persona aconsejada con la Palabra y el Espíritu de Dios al confesar su pecado, renunciar a sus vínculos con lo demoníaco y caminar en santidad.

¿Cómo podemos ayudar a otros en la guerra espiritual?

Podemos ayudar a otros en la guerra espiritual llevándolos a través de un proceso de purificación de sus conciencias, usando la oración y las Escrituras para resistir la influencia demoníaca.

Como he dicho, yo prefiero ser muy cauteloso cuando se trata de ayudar a otros con problemas personales que pudieran tener sus raíces en influencia demoníaca. He observado que los consejeros tienden a caer en uno de dos campos, y hay muy poca diferencia entre ellos. Los dos campos son el modelo «sicológico» y el modelo «guerra espiritual».

Los consejeros del modelo sicológico tienden a dar muy poca credibilidad a la influencia demoníaca como la causa de problemas emocionales. Los consejeros del modelo guerra espiritual tienden a creer que una de las primeras cosas que hay que hacer para conseguir la mejoría de la persona es eliminar la influencia demoníaca. Debido a que mi especialidad no es la consejería creo tener cierta capacidad para echarme hacia atrás, observar y tratar de entender por qué ambos lados pueden mostrar éxitos y fracasos.

De hecho, le pregunté a un consejero del modelo sicológico que había tenido algunos contactos con la consejería a nivel de guerra espiritual, por qué no usaba las tácticas de la guerra espiritual en su consejería. Su respuesta fue que en su práctica él veía lo que consideraba «demasiada gente» que se había involucrado en la consejería modelo guerra espiritual y que las cosas no les habían resultado bien. Buscaban desesperadamente ayuda, la misma que él creía que había tenido ocasión de brindar.

Por otro lado, un consejero del modelo guerra espiritual dio estadísticas impresionantes de su propia experiencia de personas que habían sido dramáticamente ayudadas casi de la noche a la mañana por condiciones en que la consejería típica tomaba meses y años y a veces nunca podía ayudar.

Como pastor, y por el bien de todos, la verdad es que no he prestado mucho interés a ninguno de estos dos acercamientos. Mi interés se concentra en un acercamiento escritural funcional. Yo creo que ambos modelos pueden ser útiles, dependiendo de la persona que necesite ayuda. Como resultado, creo que es posible integrar ambos modelos a un grado mucho mayor que lo que realmente se hace. Prefiero una estrategia integrada, combinando las fuerzas de ambas escuelas de pensamiento.

Por qué necesito saber esto

Necesito saber esto para estar alerta a la realidad de la guerra espiritual y enfrentarla según la manera bíblica, que es la única efectiva. Necesito protegerme y ser capaz de ayudar a otros a entender cómo pueden protegerse.

Primero, es necesario eliminar hasta donde sea posible la probabilidad de que la causa de problemas mentales o emocionales pudiera ser algún problema físico. Bajo nivel de azúcar en la sangre, desbalance químico en la sangre, deficiencia de vitaminas o de minerales, mal funcionamiento de la glándula tiroides, mala circulación y una serie de otros problemas físicos pueden provocar depresión, ansiedad, inestabilidad emocional y/o agitación mental. Quizás el primero y más importante paso sea tratar de eliminar cualquier origen físico para los problemas mentales o emocionales.

El uso de medicamentos está íntimamente relacionado con este principio. Algo tan simple y aparentemente inofensivo como las antiestaminas y los descongestionantes pueden hacer que una persona se enoje, experimente irritación, ansiedad o depresión, llorar con suma facilidad o ser víctima de insomnio. Otros medicamentos más fuertes puede provocar similares o peores reacciones. Es muy frustrante y desalentador para las personas que el origen de sus problemas emocionales se busque en el alma cuando están siendo provocados por males físicos o medicamentos.

Es una buena ayuda buscar un médico que esté consciente de esta posibilidad. A veces los médicos no descubren problemas físicos sutiles, particularmente aquellos que están relacionados con el desarrollo meteórico de enfermedades alérgicas y medioambientales, de las cuales muchos médicos o ni se percatan o les restan importancia. Puede ser muy difícil eliminar problemas físicos si los síntomas son molestos, pero como quiera que sea debe dársele suficiente atención al aspecto físico de las cosas.

Segundo, yo creo que es importante asegurarse que la persona que busca ayuda es cristiana. Si no lo es, no significa que no se le pueda ayudar. Muchas personas han sido ganadas para Cristo en una oficina de un consejero. Pero si la persona no es cristiana, eso significa que tu capacidad para ayudarle en la guerra espiritual estará limitada hasta que no llegue a serlo.

Tercero, cuando llega a ser un cristiano, debe entender qué ha llegado a ser en Cristo. A menos que una persona tenga un entendimiento preciso de su nuevo nacimiento, su nueva identidad, su nuevo ser, su nuevo poder interior, es muy probable que no llegue a beneficiarse plenamente de la consejería.

Cuarto, una persona debe entender la necesidad de la santidad en su vida diaria. Santidad no quiere decir que tú nunca vas a pecar. Si eso fuera lo que quisiera decir, entonces nadie, excepto Jesús, sería santo. Sin embargo, el secreto de la santidad es arrepentimiento presto de cualquier pecado cuando el Espíritu Santo te hace consciente de él. Nadie podrá dejar nunca de pecar por completo. Pero si una persona se arrepiente de su pecado cuando se da cuenta de lo que ha hecho o no ha hecho, y deja que el Señor lo restaure al compañerismo con Él, puede vivir una vida santa. La santidad no es para un pequeño grupo selecto; todos los cristianos han sido llamados a la santidad.

Quinto, como un cosejero no puede llevar a otra persona más allá de su propio nivel de madurez espiritual, la característica principal del consejero debe ser la semejanza a Cristo, no simplemente un título en la pared o una técnica especial.

Sexto, el consejero debe entender la centralidad de una conciencia limpia para el éxito del proceso. Hasta que una persona no esté dispuesta a hacer un compromiso completo para limpiar su conciencia, la consejería puede tener solo un impacto limitado.

Séptimo, es necesario crear un grupo de respaldo o de discipulado para que ayude a la persona a ser fiel a sus compromisos. La consejería debe lograr que en algún momento la persona se involucre con otras personas; caso contrario, será difícil que se mantenga firme en sus cambios de vida. Dios nunca ha pretendido que nosotros seamos capaces de hacerlo solos. Consejería sin una participación de alguna iglesia local olvida un ingrediente esencial de integridad.

Todo esto lo pueden hacer consejeros laicos y discipuladores. Si después de pasar por este proceso una persona todavía necesita consejería profesional, debe serle dada por alguien que entienda y suscriba el proceso descrito más arriba. Si en el tiempo que una persona pasa en consejería profesional logra entender quién es en Cristo y qué es la santidad y ha limpiado su conciencia y se ha involucrado en alguna clase de pequeño grupo de discipulado, estará en la mejor posibilidad de beneficiarse de toda la ayuda adicional que algún consejero bíblico profesional le pueda dar.

Puede haber razones que expliquen por qué algunas personas no siguen estas pautas. Sin embargo, si este procedimiento general se usa con discernimiento y discresión, yo creo que un gran número de personas recibiría ayuda por el uso eficiente de los recursos de que dispone la Iglesia.

He observado que a menos que una persona entienda la verdad de quién es en Cristo y es obediente a la necesidad de limpiar su conciencia y a comprometerse a una vida de rectitud, no podrá ser libertado de su esclavitud emocional. Aun si una persona entiende la verdad y está dispuesta a obedecerla, necesitará alimentarse a través de un proceso de asimilar la verdad e intensificar la obediencia.

Sin embargo, he observado también que muchos de los consejeros del modelo psicológico tratan de ir directamente al problema y fijarlo sin poner un apropiado fundamento para su mejoramiento. Muchos de esta clase de consejeros no toma en cuenta la presencia potencial de demonios, la necesidad de limpiar la conciencia, o la necesidad de una participación de la persona en servicios de adoración y pequeños grupos de discipulado, junto con las disciplinas espirituales de orar, compañerismo, lectura y estudio de la Biblia y otras. He visto a demasiadas personas que han recibido consejería psicológica y nunca supieron que tenían que hacer cosas que alentaran su salud emocional y espiritual. Se pone demasiado énfasis en las terapias psicológicas sin que haya una integración con la terapia espiritual.

La persona que no se arrepiente no puede ser sanada

Además, he visto personas pasar meses en consejería con resultados muy exiguos. Creo que, en muchos casos, el arrepentimiento no fue enfatizado lo suficiente. Una persona que no se arrepiente no puede ser sanada. También creo que en algunos casos, los consejeros que no son espiritualmente maduros tratan de ayudar usando solo un modelo de consejería aprendido en una sala de clases secular. En tales casos, consejeros bien intencionados están tratando de impartir algo (una verdadera terapia espiritual) que ellos mismos no han experimentado. Y las cosas no funcionan.

Por el otro lado, he visto consejeros del modelo guerra espiritual tratando de echar fuera demonios de personas cuando los problemas parecieran no tener su origen en lo demoníaco. Demasiados de estos consejeros de guerra espiritual tienen solo una bala en su revólver: echar fuera los demonios. Si la cosa no funciona, queda muy poco más por ofrecer.

Yo creo que el Cuerpo de Cristo podría significar una importante ayuda a estas dos disciplinas, complementándolas y adoptando un modelo que use ambos acercamientos en una cooperación eficiente.

Conclusión

Como lo dije ya, la meta de Satanás y sus demonios es engañarnos para destruirnos. En años pasados, la actividad demoníaca abierta era comparativamente rara en los Estados Unidos debido a que la disposición mental de la sociedad era más abiertamente cristiana y mucho más contraria a las cosas demoníacas. En aquellos tiempos, la estrategia de Satanás era presentarse como un ángel de luz (2 Corintios 11.14). Venía a nosotros, creo, con el disfraz de la sofisticación intelectual. El resultado ha sido la aceptación de la teoría de la evolución, el repudio de la verdad de las Escrituras seguido por el rechazo de la deidad de Cristo y del Espíritu Santo y la negación de la pecaminosidad de la humanidad y su necesidad de la salvación personal. Detrás de eso vino quitar hasta donde fuera posible a Dios de los foros públicos y elevar las ciencias al nivel de verdad generalmente aceptada. Lo que fuera que un ministro dijera, era causa de sospecha. Lo que fuera que un científico dijera, era verdad. Satanás usó estas sutiles tácticas de «ángel de luz» temprano en la historia, cuando los Estados Unidos entraban al siglo veinte.

Estas decisiones «inofensivas», sin embargo, empezaron a producir sus frutos. Al quitar a Dios como la autoridad sobre esta sociedad, cada persona se sintió libre de hacer lo que le pareciera bien a sus ojos. El resultado ha sido un colapso sin precedente de los valores morales, una profunda ruptura en la integridad de nuestros sistemas educacional, judicial y gubernamental, y una marea de crímenes y una desintegración de los estándares culturales que nos mantenían unidos como nación. El ángel de luz empezó a palidecer.

Estos repentinos y profundos cambios han dado origen a una subcultura de personas que prestamente han aceptado al diablo como un ángel de las tinieblas, la cual es su verdadera identidad. Grupos musicales con nombres como *Slayer* [Homicidas] y *Carcass* [Animal muerto] cantan canciones como *Under the Rotted Flesh* [Bajo la carne podrida], *Covered with Sores* [Cubierto de llagas] y *Raining Blood* [Lluvia de sangre]. Se grabó un disco titulado *Butchered at Birth* [Asesinado al nacer] con ilustraciones de bebés mutilados. A esta clase de música se la llama *death metal* [metal de muerte] y los discos se venden por cientos de miles. La glorificación de la sangre, la violencia y el satanismo te deja a las puertas mismas del infierno. Si quieres asomarte y mirar qué en realidad es el infierno, esta música te dará la oportunidad.

La gente que escucha esta clase de música también hace otras cosas difíciles de describir. Chuck Colson cuenta que cuando recientemente un programa de televisión mostró un grupo de niños que han cometido asesinato, todos declararon que habían escuchado música *death metal* [metal de muerte].

Mientras la luz se apaga, las tinieblas avanzan. En la espiritualidad en Estados Unidos, la luz se está apagando y las tinieblas están avanzando. Las cosas que una vez fueron inconcebibles, ahora son corrientes. Y esto ha ocurrido en mi vida de adulto, un asombrosamente breve período de tiempo.

Ahora tenemos que pelear la guerra espiritual en diversos frentes. Debemos luchar contra la clase de tácticas de «ángel de luz», en las cuales Satanás usa la ciencia, la educación, la conveniencia política y otras cosas para establecer una agenda que es vendida como buena. Algo de ella debe serlo. Eso es parte del engaño. Pero también debemos pelear contra la abierta adoración a Satanás en todo su horror y todo lo que está en medio.

Aprender las bases bíblicas de la guerra espiritual es solo el comienzo. La batalla se ampliará e intensificará. Tenemos los recursos, la verdad y el poder para la victoria personal. Debemos protegernos a nosotros y a nuestros seres queridos siguiendo la estrategia de Dios. Y debemos tratar de recuperar el terreno perdido en nuestra sociedad a través de manifestar el carácter de Cristo y proclamar su nombre.

¡Adelante, soldados cristianos!

¡Topes de velocidad!

Baja la velocidad para asegurarte que has captado los puntos principales de este capítulo.

Pregunta Respuesta

P1. ¿Pueden los cristianos ser influenciados por los demonios?

R1. Los cristianos pueden ser influenciados por los demonios, por lo cual debemos estar siempre *en guardia* espiritual.

P2. ¿Cómo podemos protegernos de las fuerzas de las tinieblas?

R2. Podemos protegernos de las fuerzas de las tinieblas por una vida de *obediencia* a las Escrituras y confiando en que Dios nos protege.

P3. ¿Pueden los cristianos echar fuera demonios de otras personas?

R3. Los creyentes no están todos de acuerdo si el exorcismo es o no válido, pero sí están de acuerdo que la libertad permanente de las personas demonizadas depende de su *cooperación.*

P4. ¿Cómo podemos ayudar a otros en la guerra espiritual?

R4. Podemos ayudar a otros en la guerra espiritual llevándolos a través de un proceso de limpiar sus conciencias y usando la oración y las Escrituras para *resistir* la influencia demoníaca.

Llena los espacios en blanco

Pregunta Respuesta

P1. ¿Pueden los cristianos ser influenciados por los demonios?

R1. Los cristianos pueden ser influenciados por los demonios, por lo cual debemos estar siempre ______________ espiritual.

P2. ¿Cómo podemos protegernos de las fuerzas de las tinieblas?

R2. Podemos protegernos de las fuerzas de las tinieblas por una vida de ______________ a las Escrituras y confiando en que Dios nos protege.

P3. ¿Pueden los cristianos echar fuera demonios de otras personas?

R3. Los creyentes no están todos de acuerdo en si el exorcismo es o no válido, pero sí están de acuerdo en que la libertad permanente de las personas demonizadas depende de su ________.

P4. ¿Cómo podemos ayudar a otros en la guerra espiritual?

R4. Podemos ayudar a otros en la guerra espiritual llevándolos a través de un proceso de limpiar sus conciencias y usando la oración y la Escritura para ______________ la influencia demoníaca.

Para un análisis más profundo

1. ¿Estás seguro que has hecho todo lo que necesitas hacer para estar protegido contra la influencia demoníaca? Si no, ¿qué crees que debes hacer?

2. ¿Conoces a alguien que te parezca que está luchando con la demonización? ¿Qué crees que podrías hacer tú para ayudar a esa persona?
3. ¿Crees que alguna actividad en la que estás participando pudiera hacerte susceptible de la influencia demoníaca. Piensa en la música, la televisión, las películas, tus lecturas, amigos, intereses, entretenimientos. ¿Crees que hay algunas cosas que necesitas eliminar de tu vida?

¿Y si yo no creyera?

1. Si yo no creyera, podría hacer cosas que alentarían la actividad demoníaca en mi vida.
2. Podría pensar que estoy capacitado para encargarme de mí, y al hacerlo, ser engañado por los demonios.
3. Quizás no seguiría una ruta confiable que me ayudara si estoy luchando con la actividad demoníaca en mi vida.
4. Quizás no tomaría suficientemente en serio la alarmante escalada de cosas que hoy día alientan la actividad demoníaca.
5. Si soy un padre, quizás no estaría dando a mis hijos la guía necesaria para protegerlos de la actividad demoníaca en sus vidas.

Para un estudio extra

1. Las Escrituras

Varios pasajes de las Escrituras hablan de la necesidad de estar firmes en la guerra espiritual:

- 1 Corintios 6.9
- 1 Corintios 5.1-5
- 2 Corintios 5.17
- 1 Juan 1.7
- 1 Juan 4.4

Bibliografía

Anderson, Neil. *Released from Bondage* [Libre de ataduras]. Nashville, Thomas Nelson, 1991.

Colson, Chuck. *A Dangerous Grace* [Gracia peligrosa]. Dallas: Word, 1994.

Graham, Billy. *Angeles: Agentes secretos de Dios.* Miami, Caribe, 1976.

«Ready for Something Tremendous!» («¡Listo para algo tremendo!») *Christianity Today,* Diciembre 14, 1992:11.

Richmond, Gary. *A View from the Zoo (Vista desde el zoológico).* Dallas: Word, 1986.

McClelland, S.E. «Demon, Demon Possession» («Demonios, Posesión demoníaca»). *Evangelical Dictionary of Theology* [Diccionario Evangélico de Teología]. Walter Elwell, ed., Grand Rapids: Baker, 1984.

Spurgeon, Charles Haddon. *Morning and Evening* [Mañana y noche]. Roy Clarke, ed. Nashville: Thomas Nelson, 1994.

Tada, Joni Eareckson. *A Step Further* [Un paso más]. Grand Rapids: Zondervan, 1998.

White, John. *The Flight* [El vuelo]. Downer's Grove, IL.: InterVarsity, 1976.

Poole, Rebecca. «Uganda's Wild Child» [«El niño salvaje de Uganda»], *Sierra,* Enero/Febrero 1987.

Resumen general

Capítulo 1

Pregunta Respuesta

P1. ¿Cuáles son los tres frentes de batalla en la guerra espiritual?

R1. Los tres frentes de batalla en nuestra guerra espiritual son el mundo, la carne y el *diablo.*

P2. ¿Cuál es la fuente de nuestra fuerza?

R2. La fuente de nuestra fuerza en la guerra espiritual es solo *Dios.*

P3. ¿Cuáles son las armas de guerra?

R3. Nuestras armas de guerra son las partes de la *armadura* espiritual descrita en las Escrituras.

P4. ¿Cuáles son los métodos de engaño de Satanás?

R4. Satanás emplea dos medios particularmente efectivos para engañarnos: primero, nos hace pecar; y luego, una vez que hemos pecado, nos mantiene sumidos en sentimientos de *culpa.*

P5. ¿Cómo podemos obtener el poder para vencer?

R5. Podemos vencer a Satanás dándonos cuenta que su único poder sobre nosotros es el engaño y el miedo y *resistiéndolo* en la manera de Dios.

P6. ¿Cuáles son las tres perspectivas principales en la guerra espiritual?

R6. Las tres perspectivas principales en la guerra espiritual son la perspectiva de la *resistencia espiritual, la perspectiva del encuentro con la verdad* y la perspectiva del encuentro de poder.

Capítulo 2

P1. ¿Qué son los ángeles buenos?

R1. Angeles son *espíritus* que viven mayormente en un reino invisible y hacen la voluntad de Dios.

P2. ¿Quién es Satanás?

R2. Satanás, probablemente el ángel bueno de más alta jerarquía antes que se rebelara contra Dios, es ahora el *enemigo* que se opone a la voluntad de Dios.

P3. ¿Qué son los demonios?

R3. Demonios son probablemente los ángeles que pecaron siguiendo a Satanás en su rebelión contra Dios. Ahora se oponen a la voluntad de Dios y hacen la voluntad de Satanás.

Capítulo 3

P1. ¿Qué representa el cinto de la verdad?

R1. El cinto de la verdad representa un *compromiso* con la verdad de la Palabra de Dios.

P2. ¿Cómo debe ser nuestro compromiso con la verdad?

R2. Nuestro compromiso con la verdad debe ser *total* y permanente.

P3. ¿Por qué un cristiano debe decir la verdad en palabra y obras?

R3. El cristiano debe decir la verdad en palabra y obras porque está comprometido su carácter, la *credibilidad* del evangelio y la reputación misma de Dios.

P4. ¿Es la verdad absoluta o relativa?

R4. La verdad de Dios es *absoluta*, eterna y no cambia.

Capítulo 4

P1. ¿Qué representa la coraza de justicia?

R1. La coraza de justicia representa un *estilo de vida* de obediencia confiada a Dios.

P2. ¿Cuáles son las dos dimensiones de la justicia?

R2. La justicia es tanto *imputada* como *impartida*.

P3. ¿Cómo nos ponemos la coraza de un vivir justo diariamente?

R3. Nos ponemos la coraza de un vivir justo diariamente a través de *obedecer* fielmente a todo lo que entendemos que Cristo está pidiendo de nosotros.

P4. ¿Cómo nos causa daño el pecado?

R4. El pecado nos causa daño por sus *consecuencias* que son dolorosas y predecibles.

Capítulo 5

P1. ¿Qué representa el calzado del evangelio de la paz?

R1. El calzado del evangelio de la paz representa una confiada seguridad en las *promesas* de Dios, y el sentimiento de paz que tal confianza produce.

P2. ¿Cómo promete Dios darnos paz?

R2. Dios promete darnos paz al responder a nuestros más grandes *temores.*

P3. ¿Cómo promete Dios aliviarnos la carga?

R3. Dios promete aliviarnos la carga al ayudarnos a eliminar *cargas* que Dios nunca ha querido que llevemos.

Capítulo 6

P1. ¿Qué representa el escudo de la fe?

R1. El escudo de la fe representa una vida de protección basada en nuestra *fe* en el carácter, palabra y obras de Dios.

P2. ¿Qué es fe?

R2. Fe es *creer* lo que Dios ha dicho y *comprometernos* con su Palabra.

P3. ¿Qué son los dardos de fuego?

R3. La Biblia no nos dice específicamente qué son los dardos de fuego de Satanás, pero pueden ser cualquier cosa que nos haga *dudar* o desobedecer la verdad.

P4. ¿Cómo usamos el escudo de la fe?

R4. Usamos el escudo de la fe cuando nos *comprometemos* a vivir según la verdad de la Palabra de Dios en lugar de según las mentiras de Satanás.

Capítulo 7

P1. ¿Qué representa el yelmo de la salvación?

R1. El yelmo de la salvación representa una forma de vida de *esperanza* que viene cuando ponemos nuestra atención en la salvación final.

P2. ¿Cómo podemos cultivar una perspectiva eterna?

R2. Podemos cultivar una perspectiva eterna viendo todas las cosas temporales a la luz de la *eternidad.*

P3. ¿Cómo puedo transferir mi esperanza de este mundo al venidero?

R3. Puedo transferir mi esperanza de este mundo al venidero a través de usar las desilusiones de este mundo como un catalizador para *abrazar* conscientemente la respuesta de Dios a estas desilusiones.

Capítulo 8

P1. ¿Qué representa la espada del Espíritu?

R1. La espada del Espíritu representa un uso ofensivo y defensivo de la *Biblia* en la guerra espiritual.

P2. ¿Cómo se usa la espada para la defensa?

R2. La espada se usa *defensivamente* al aplicar las Escrituras a cada duda, tentación y desaliento que lance contra nosotros Satanás.

P3. ¿Cómo se usa la espada ofensivamente?

R3. La espada se usa *ofensivamente* para producir cambio, para alentar el crecimiento espiritual a través de la evangelización, la enseñanza, la predicación y la consejería.

Capítulo 9

P1. ¿Cómo establecemos contacto con nuestro comandante?

R2. En la guerra espiritual establecemos contacto con nuestro comandante mediante la *oración.*

P2. ¿Cómo obtenemos respuesta de nuestro comandante?

R2. Obtenemos respuesta de nuestro comandante cuando oramos según las *pautas* que nos da las Escrituras.

P3. ¿Por qué debemos cultivar una relación con nuestro comandante?

R3. Debemos cultivar una relación con nuestro comandante porque nuestra *relación* con Dios es aún más importante que una respuesta específica a una oración dada.

Capítulo 10

P1. ¿Cómo nos ve Dios?

R1. Dios nos ve *en Cristo,* habiendo nacido de nuevo en justicia y verdadera santidad en espíritu, esperando nuestra completa adopción, la redención de nuestros cuerpos.

P2. ¿Cuál debería ser nuestra reacción a nuestra nueva identidad con Cristo?

R2. Nuestra reacción debería ser *gratitud* y obediencia.

Capítulo 11

P1. ¿Qué es una clara conciencia?

R1. Una clara conciencia es una conciencia libre de culpa, no porque no hayamos pecado, sino porque hemos respondido *bíblicamente* a nuestro pecado.

P2. ¿Cómo podemos llegar a tener una clara conciencia?

R2. Podemos llegar a tener una clara conciencia si nos *arrepentimos* de los pecados conocidos, perdonamos a quienes nos han causado daño y buscamos el perdón de aquellos a quienes nosotros hemos causado daño.

P3. ¿Cómo podemos proteger nuestra conciencia de las influencias malignas y derribar fortalezas espirituales?

R3. Podemos proteger nuestra conciencia de las influencias malignas si nos arrepentimos de y *renunciamos* a cualquier cosa que estamos haciendo o que hayamos hecho en el pasado que nos ha hecho vulnerables a la influencia demoníaca.

Capítulo 12

P1. ¿Pueden los cristianos ser influenciados por los demonios?

R1. Los cristianos pueden ser influenciados por los demonios, por lo cual debemos estar siempre *en guardia* espiritual.

P2. ¿Cómo podemos protegernos de las fuerzas de las tinieblas?

R2. Podemos protegernos de las fuerzas de las tinieblas por una vida de *obediencia* a la Escritura y confiando en que Dios nos protege.

P3. ¿Pueden los cristianos echar fuera demonios de otras personas?

R3. Los creyentes no están todos de acuerdo en si el exorcismo es o no válido, pero sí están de acuerdo en que la libertad permanente de las personas demonizadas depende de su *cooperación.*

P4. ¿Cómo podemos ayudar a otros en la guerra espiritual?

R4. Podemos ayudar a otros en la guerra espiritual llevándolos a través de un proceso de limpiar sus conciencias y usando la oración y las Escrituras para *resistir* la influencia demoníaca.

Acerca del autor

El Dr. Max Anders es un pastor de corazón que aplica las verdades de la palabra de Dios a las vidas diarias de las personas. Miembro del equipo original de «Walk Thru the Bible Ministries» y pastor de una mega iglesia por varios años antes de empezar su ministerio de conferenciante y escritor, Max ha viajado extensamente, hablando a miles a través de los Estados Unidos.

Sus libros incluyen los éxitos editoriales *30 días para entender la Biblia, 30 días para entender la vida cristiana, 30 días para entender lo que creen los cristianos*, así como otros títulos en esta serie. Tiene una maestría en Teología del Seminario Teológico de Dallas y un doctorado del Seminario Western, en Portland, Oregon.